¿Enseñarías a un pez a trepar a un árbol?

Una visión diferente respecto a niños con TDA, TDAH, TOC y autismo.

ACCESS CONSCIOUSNESS PUBLISHING

Titulo original: Would You Teach a Fish to Climb a Tree?
A Different Take on Kids with ADD, ADHD, OCD, and Autism

Access Consciousness Publishing
www.accessconsciousnesspublishing.com

¿Enseñarías a un pez a trepar a un árbol?
Una visión diferente respecto a niños con TDA, TDAH, TOC y autismo.

ISBN: 978-1-63493-379-7
Access Consciousness Publishing

Los autores y el editor del libro no afirman ni garantizan ningún resultado físico, mental, emocional, espiritual o financiero. Todos los productos, servicios e información que proporcionan los autores son únicamente con fines de educación general y entretenimiento. La información que aquí se ofrece no sustituye de ningún modo al consejo médico. En el caso de que usted utilice alguna parte de la información contenida en este libro con fines propios, ni los autores ni el editor asumen responsabilidad alguna por esas acciones.

Traducido del inglés por Maria Elena Blanco

¿Enseñarías a un pez a trepar a un árbol?

Una visión diferente respecto a niños con TDA, TDAH, TOC y autismo.

Por Anne Maxwell, LCSW,

Gary M. Douglas y el Dr. Dain Heer

Todos somos genios. Pero si juzgas a un pez por su habilidad para trepar un árbol, vivirá toda su vida pensando que es estúpido.

~Albert Einstein

Gratitud

Muchas gracias a Jill McCormick por inspirar la escritura de este libro y por sus muchas contribuciones que lo han hecho posible.

Y a todos los niños que han asistido a nuestras clases, una gratitud especial por mostrarnos el regalo que son, la forma en que podemos ayudarles y cómo podríamos tener lo que ustedes tienen.

Tabla de Contenido

1

Unas palabras respecto a las etiquetas

No definas a estos niños conforme al modo en que están etiquetados. Tú mismo estarás restringiendo lo que puedes recibir de ellos. En vez de eso, haz una pregunta: "¿qué regalo tienen que no estoy recibiendo?"

~Gary Douglas

Anne:

A través de los años que he pasado trabajando con los niños y sus familias, cada vez se ha vuelto más claro para mí que hay ciertas "culturas" de pensamiento o actitudes respecto a la forma en que deben funcionar las personas, y en especial los niños. Los que no funcionan de acuerdo con las reglas y normas vigentes a su alrededor son etiquetados por los defensores y promotores de esas "culturas". Esto tiende a suceder en gran medida en comunidades educativas y médicas.

Frecuentemente se llega a la conclusión de que los niños que no "encajan" deben ser enseñados a comportarse para que puedan funcionar como si fueran "normales" o "promedio", como todos los demás. El problema es que no son normales ni promedio. Mi punto de vista es que, al pedirles que sean normales y promedio, hacemos dos cosas: les decimos que hay algo malo en ellos y les pedimos que se conviertan en alguien que no son.

Las etiquetas evocan imágenes, respuestas y definiciones y no se puede considerar nada que no encaje dentro de los confines de las etiquetas. En otras palabras, las etiquetas definen, y una vez que se etiqueta a alguien, ¡esa persona siempre estará etiquetada! Algunas de las etiquetas más comunes son: autismo, TOC, TDA y TDAH. En la comunidad médica, todos estos diagnósticos se describen con intensidad variable, desde leve hasta severa.

Trastornos del espectro autista. Existe un grupo de diagnósticos de salud mental que se clasifica dentro de la categoría genérica de trastornos del espectro autista o TEA. Estos incluyen: trastorno autista, síndrome de Asperger, trastorno general del desarrollo. Esos diagnósticos intentan describir una serie de síntomas, habilidades y dificultades que tienen las personas para funcionar en esta realidad. Frecuentemente se dice de las personas que han sido diagnosticadas con TEA que "están dentro del espectro". Funcionan de forma diferente a las personas denominadas "normales" en lo que respecta a la comunicación, la interacción social y las relaciones. Sus comportamientos tienden a ser repetitivos y pueden parecer "raros", y la gravedad de sus síntomas varía entre aquellos que son altamente funcionales y los que no son capaces de hablar ni de funcionar en esta realidad.

Trastorno obsesivo compulsivo, o TOC, es un diagnóstico que describe patrones de pensamiento, comportamientos y rituales recurrentes y persistentes que son repetitivos y que causan suficiente angustia como para interferir en la vida diaria.

Después están los diagnósticos de trastorno de déficit de atención o TDA y trastorno de déficit de atención con hiperactividad o TDAH. Las personas con estos diagnósticos tienden a tener dificultad para prestar atención a una sola cosa: parece que no están escuchando y se distraen fácilmente. Aquellos con TDAH tienden a ser extremadamente activos. Frecuentemente, son incapaces de mantenerse sentados y sus comportamientos incluyen inquietud, movimiento constante en sus sillas, hablar excesivamente, contestar impulsivamente e interrumpir.

TDA, TDAH, TOC y autismo son algunas de las etiquetas que pueden "sentenciar" a un niño a que piensen en él de cierta forma. Estas etiquetas son conocidas por describir "incapacidades", y a los niños con estos diagnósticos se les define y considera "incapacitados" o "minusválidos". Una vez que se tiene esa opinión o concepto acerca de ellos, parece que desaparece cualquier otra forma de pensar acerca de ellos.

Sé lo desesperante que puede ser para aquellos que no encajan en una cultura, a quienes se les marca y clasifica como incapacitados, minusválidos o defectuosos. Esto también aplica a los padres de estos niños, a quienes les encantaría que sus hijos vivieran vidas felices y exitosas.

Hay, sin embargo, más y más historias en la prensa popular acerca de niños que fueron diagnosticados con autismo en edades tempranas y a cuyos padres les dijeron que nunca leerían, hablarían o se relacionarían con la gente. Estos niños ahora son adolescentes o jóvenes y están en cursos básicos y de posgrado en grandes universidades. ¿Qué es lo que tienen en común estas historias? Se trata de los padres, quienes en vez de aceptar las etiquetas que fueron impuestas en sus hijos, reconocieron que había muchas más posibilidades que las identificadas por los expertos.

Estos padres alentaron a sus hijos a que siguieran sus intereses e hicieran lo que les encantaba hacer, sin importar lo raros que parecieran. Hay una historia particularmente inspiradora que me contó una madre cuyo hijo autista solo quería jugar con formas y sombras. Estaba teniendo dificultades en su programa de "educación especial", donde le forzaban a hacer cosas que él no quería. Ella se dio cuenta de que, cuanto más animaba a su hijo a que hiciera aquello con lo que disfrutaba, más se abría su caparazón. Y cuando ella empezó a prestar atención a sus intereses y a poner recursos a su disposición para apoyarlos, él comenzó a hablar y prosperar.

Cuando él tenía tres años, les dijeron que nunca hablaría. A los once años se matriculó en una universidad y comenzó a estudiar matemáticas.

2

Una nueva perspectiva

¿Y si no hay nada malo con estos niños?
¿Y si solo son diferentes?
~Gary Douglas

Anne:

Mi primer trabajo después de terminar el postgrado en 1991, como terapeuta infantil y familiar, fue en un internado para niños que estaban etiquetados con trastornos psiquiátricos. Eran niños que no podían funcionar en casa, en la escuela o en la comunidad y que habían "fracasado" varias veces en entornos menos restrictivos. En los Estados Unidos, los internados de tratamiento son casi el último recurso para estos niños. Después de eso, solo quedan las cárceles y los hospitales psiquiátricos estatales.

Había dos formas para que los niños llegaran al centro: o a través del internado, en el cual vivían en una de las unidades residenciales las 24 horas del día mientras asistían a un programa escolar altamente especializado, o al formar parte de un programa de tratamiento diurno, lo que conllevaba vivir fuera del campus y asistir al programa altamente especializado durante los días de escuela. Yo fui contratada como psicoterapeuta tanto para el internado como para el tratamiento diurno y trabajaba con niños de entre los tres y los dieciocho años. Mi especialidad era con los más pequeños.

Los niños diagnosticados con TDA, TDAH, TOC y autismo presentaban un desafío diferente para el personal. Muchos estaban en constante movimiento, incluso cuando estaban sentados en sillas. Reían en los momentos (aparentemente) equivocados y soltaban respuestas, pero no podían explicar cómo las habían obtenido, incluso cuando las respuestas eran correctas. El programa de comportamiento tenía poco o nulo efecto sobre estos niños. Se les consideraba irrespetuosos, desafiantes, difíciles… y trabajar con ellos se veía como una ardua tarea. Otros, que tenían una discapacidad más grave, parecían ausentes y cerrados. Cuando contestaban parecía que reaccionaban a algo no visible para el resto de nosotros. Cualquier provocación, por pequeña que sea les hacía enfurecer. Sus explosiones emocionales tenían tal intensidad que me ponían en tensión.

El personal del centro era muy variado y contaba con diversas disciplinas. Mis favoritos eran los mágicos que veían a los niños por quienes eran, no por las etiquetas que les habían dado. Eran quienes daban a los niños el beneficio de la duda. Sabían que los niños estaban haciendo todo lo que podían con las herramientas que tenían. Y eran las personas con las que los niños estaban más a gusto. Una de esas personas mágicas era una mujer llamada Naomi, que era especialista en programas escolares. Cuando conocí a Naomi, yo acababa de terminar el postgrado y sentía especial afinidad con los niños que tenían dificultades para concentrarse y mantener la atención. Le pregunté a ella acerca de los niños con TDA y TDAH. Ella me contestó: "es como si tuvieran cientos de pantallas de televisión en la cabeza y cada pantalla estuviera sintonizada en un canal diferente. El volumen está alto y no tienen un mando a distancia para bajarlo ni para poner todas las pantallas en el mismo canal. ¡No pueden evitarlo!".

Eso tenía sentido para mí. A veces, parecía que estos niños se esforzaban mucho por concentrarse y mantener la atención y, sin embargo, eran totalmente incapaces de hacerlo. Yo sentía una conexión con ellos puesto que desde pequeña había tenido varias cosas en mi cabeza al mismo tiempo y me decían que prestara atención y yo me preguntaba qué era lo que me pasaba ya que no podía hacerlo.

En el programa, además de que se daba preferencia a los medicamentos, se valoraba mucho el poder sentarse, estar quieto y escuchar. Pero me resultaba evidente cuando se había ido demasiado lejos con los medicamentos y los niños se concentraban exclusivamente en lo que estaban haciendo, excluyendo todo lo que les rodeaba y, por ejemplo, coloreaban tan intensamente que los rotuladores traspasaban el papel. Con esas altas dosis de medicamento parecía que los niños se desanimaban. Su chispa desaparecía.

Naomi tenía algunas sugerencias que funcionaban con los niños. Por ejemplo, me dijo: "si no eres capaz de decir lo que hay que decir en cinco palabras o menos, no te escucharán". Era cierto. Cuando usabas más sus ojos se nublaban. No obstante, por muy útiles que fueran las sugerencias de Naomi, no eran suficientes para lograr una diferencia real o duradera con los niños. Lo que ella no me dijo, y lo que ninguna de las dos sabíamos entonces, es que sus mentes se movían a la velocidad de la luz. Las palabras no eran su forma preferida de comunicación porque eran dolorosamente lentas, laboriosas y difíciles. Aunque en ese entonces yo aún no lo sabía, ahora me doy cuenta de que se comunicaban principalmente con energía.

Cuando, 20 años después, conocí a Gary Douglas, el fundador de Access Consciousness. Él puso en palabras lo que yo había sabido en mi interior durante tanto tiempo acerca de esos niños, pero nunca me había permitido reconocer, ya que contradecía lo que consideraba real y verdadero en esa época. Sentí un gran alivió al conocer la opinión de Gary que decía que los niños diagnosticados con TDA, TDAH, TOC y/o autismo se enfadaban mucho cuando que se les decía que usaran palabras porque para ellos esto los retrasaba. Cuantos recuerdos de tantos y tantos niños enrabietados en el centro y luego en mi consulta privada.

Recordé las miradas de completo desprecio cuando se les decía que usaran sus palabras, o cuando alguien decía "no te oí". Tenía mucho sentido para mí, porque esos niños se comunican de forma diferente.

Cuando Gary preguntaba cosas como: "¿y si no hay nada malo con estos niños? o: "¿y si solo son diferentes?", Me dije a mí misma: "¡Finalmente alguien que lo entiende!". ¿Y si los niños que tienen todas esas etiquetas pudieran ser vistos como quienes son, y no como quienes no son? ¿Qué podría cambiar eso?

Los comentarios de Gary me invitaron a comenzar a hacer preguntas como: "¿qué más es posible aquí que no estamos viendo?" en lugar de "¿cómo puedo hacer que este niño encaje?".

¿Y si lo diferente solo fuera diferente, no correcto, no incorrecto, solo diferente? Estos niños no son iguales a otras personas. Sus emociones no son como las de los demás. Piensan de forma diferente. No entienden por qué la gente se mueve tan lentamente y aparenta que no sabe lo que sí sabe. Tienen una forma diferente de ver el mundo. ¿Y si realmente tuvieran talentos y habilidades especiales?

El otro día vino a mi consultorio un niño de diez años que ha sido diagnosticado con TOC. Él se siente muy diferente a los demás niños, y muy equivocado. Estábamos hablando de forma relajada y disfrutando. De pronto noté un cambio sutil en su cuerpo. Él me miró, miró el teléfono en el escritorio a mis espaldas, me miró de nuevo y después sonó el teléfono. Levanté mis cejas y le sonreí y él me devolvió la sonrisa.

"Sabías que iba a sonar, ¿verdad?" Le pregunté.

Se rio nerviosamente. "¡Sí!".

"¡Genial"! contesté.

¿Y si nosotros pudiéramos ver lo que ellos ven, en lugar de intentar que ellos vean lo que nosotros vemos? ¿Qué cambio podría crear eso?

¿Qué se crea al no reconocer las habilidades que tienen esos niños? Creo que les hace verse a sí mismos como invisibles, no merecedores, indignos, no lo suficientemente buenos, defectuosos, raros y equivocados. ¿Y si este fuera el daño que les hacemos a los niños que son diagnosticados con las etiquetas TDA, TDAH, TOC y autismo? Ellos no ven el mundo como nosotros y cuando no lo vemos a través de sus ojos, eso les crea dificultad. Necesitamos ver lo que ellos ven en vez de intentar que ellos vean las cosas como nosotros.

3

¿Y si tus niños son perfectos?

¿Y si tus niños son perfectos, aun cuando tengan TDAH, TOC, TDA, autismo o alguna otra cosa?

~Dr. Dain Heer.

Gary:

Dain y yo hemos tenido la oportunidad de trabajar con algunos niños que han sido etiquetados con estas supuestas discapacidades. Inicialmente, intentamos manejar esas condiciones desde el punto de vista de que algo andaba mal con estos niños, y tratamos de descubrir cómo manejar su "discapacidad". Sin embargo, en el proceso de trabajar con varios niños maravillosos, hemos visto que tienen muchas habilidades, talentos y dones que no son reconocidos por los maestros, los padres y la gente en las comunidades médica y psicológica.

La gente tiende a funcionar desde el punto de vista de que hay algo mal con estos niños porque no aprenden como el resto de nosotros lo hacemos. La realidad es que captan cosas de una forma totalmente distinta y necesitamos avanzar y averiguar cómo aprenden y no intentar enseñarles con métodos que pueden haber funcionado con nosotros pero que definitivamente no funcionan para ellos.

Nos gustaría volver a referirnos al punto de vista de que son niños con "necesidades especiales"; en realidad, son niños con talentos especiales. Les llamamos X-Men, por el equipo de súper héroes de Marvel Comics integrado por mutantes con un gen X, que usan sus poderes y habilidades adicionales para el beneficio de la humanidad. Para nosotros, es un término afectivo. Los X-Men están aquí con nosotros en el planeta para hacer olas. Son una mutación que implica una expansión de la especie, pero se considera una limitación. No creemos que eso sea cierto.

Nos gustaría liberar las habilidades que tienen estos niños porque percibimos que, si se les diera la oportunidad, podrían ser capaces de cambiar muchas cosas en nuestro planeta que se convertirán en desastres en el futuro.

Te pedimos que no veas a tus niños como equivocados, sin importar la etiqueta que les hayan colocado. Ve a tus niños no desde la perspectiva de lo mal que está su anomalía sino desde la perspectiva de lo bueno y correcto que hay en ellos. Cuando haces esto, puedes crear un mundo totalmente diferente para ti, para ellos y para todos en el planeta. Esperamos que te des cuenta de la extraordinaria oportunidad que tienes para crear un mundo más consciente. Puedes crear un lugar donde la gente comience a ver la habilidad y la grandeza de estos niños.

4

Creando una cultura de preguntas

El propósito de la pregunta es crear conciencia.

~Gary Douglas

Anne:

Muchos de los padres que vienen a verme se sienten totalmente perdidos con respecto a cómo ayudar a sus niños. Algunos de ellos llegan a la conclusión de que hay algo "malo" en su niño. Muchos de ellos extrapolan lo "erróneo" hacia sí mismos. De alguna forma creen que hicieron algo mal o que hay algo intrínsecamente equivocado en ellos. ¿Si no, cómo podrían haber tenido un niño así? Muchos de ellos hablan de vergüenza y de culpa porque perciben que sus capacidades como padres están disminuidas. Y para resolverlo, la mayoría de ellos intenta encontrar la respuesta que explique la razón por la que su niño es como es. Me dicen que, si tan solo pudieran entender, sabrían qué hacer.

¿Y si estos niños no son lo que dicen sus etiquetas? En vez de creerse cualquier etiquetado que se les haga a estos niños, ¿qué tal si mejor hacemos preguntas? Hablemos un poco de las preguntas. Me encanta la descripción de pregunta que da Gary: una pregunta no es una frase con un signo de interrogación. Una pregunta es una pregunta. Al contrario de lo que nos enseñan en la escuela, el propósito de una pregunta no es encontrar "la respuesta correcta". El propósito de una pregunta es crear conciencia.

Dain:

La pregunta es la clave para abrir otras puertas de posibilidad.

Anne:

"¿Qué quieres de cenar?". ¿Es eso una pregunta, o una afirmación con signos de interrogación? Es una afirmación con signos de interrogación, porque supone que: a) la persona tiene hambre, b) tiene planes de comer, y c) lo que comerá será en formato de cena.

Una pregunta es: "¿Tienes hambre?". Abre la puerta a las posibilidades.

Hacer preguntas reales es una de las herramientas más sorprendentes de Access Consciousness. Me doy cuenta de que al hacer una pregunta soy capaz de salir instantáneamente de la densidad de la conclusión o del punto de vista que me esté atrapando y de entrar en el espacio de las posibilidades y la elección.

La madre de unos gemelos de seis años, un niño y una niña, vino a verme al inicio del año escolar. Ella es muy inteligente, al igual que su marido. Ella y su hija funcionan socialmente con mayor facilidad que su hijo y su marido. La madre y la hija son más extrovertidas y parlanchinas; el padre y el hijo son más callados, y algunos dirían que hasta introvertidos.

Ella vino a verme porque su hijo estaba teniendo problemas con su programa de primer grado. Los reportes del maestro decían que estaba portándose mal, que hacía rabietas, que no se concentraba en su trabajo y que se "aislaba" durante el receso. Cuando el niño llegaba a casa después de la escuela, estaba irritable, molesto, discutía y se quejaba y su madre sabía que era cuestión de tiempo antes de hiciera otro berrinche. Ella era bien consciente de lo diferente que era su hijo, y aunque en privado reconocía sus muchos talentos y habilidades, en la escuela se disculpaba ante el personal por su comportamiento. Todo lo que ella podía ver era lo que no funcionaba y las conclusiones a las que había llegado la estaban orillando a un estado de desesperación y desaliento. Ella me dijo: "Es el primer mes en el primer grado. ¡Aún le quedan doce años!".

Le hice varias preguntas:

- ¿Qué sabes con respecto a tu hijo que no estás reconociendo?
- ¿Cuáles son sus fortalezas?
- ¿Qué requiere tu hijo para prosperar en la escuela?
- Si él pudiera diseñar su experiencia escolar este año, ¿cómo sería?
- ¿Qué sabe él, que no le estás preguntando ni estás reconociendo?

Las preguntas le permitieron ir más allá de la necesidad de obtener respuestas y entrar en el espacio de darse cuenta de lo que sí sabía sobre su hijo, sobre la escuela y sobre sí misma. Cuando ya no tuvo la necesidad de tener la respuesta que justificara o demostrara algo respecto a su hijo, se relajó notablemente. Ella se dio cuenta de que sabía mucho más acerca de su situación de lo que había reconocido. Por ejemplo, reconoció que el desempeño académico de su hijo era muy superior al de sus compañeros de clase y que probablemente estaba insoportablemente aburrido. Fue capaz de acercarse al personal de la escuela y juntos diseñaron un programa para su hijo. El niño hizo una transición al segundo año y se le dio trabajo desafiante de grados aún más altos para varias de las materias. Sus rabietas y arrebatos se redujeron considerablemente.

También dejo de preocuparse por como se "aislaba" su hijo durante los recesos y reconoció que probablemente se beneficiaba de pasar tiempo a solas. Ella reconoció que él era menos social que su hermana, pero que eso no era ningún problema. Como resultado, ella se dio cuenta de la inteligencia de su hijo al usar algo de tiempo a solas como una forma de manejar estimulación excesiva de la escuela y sus recesos.

Al alejarse del mundo del prejuicio y de las respuestas correctas e incorrectas, ella creó una cultura de preguntas en torno a la experiencia de su hijo en la escuela, lo que le permitió que todos los involucrados vieran las posibilidades y las diferentes elecciones que se derivan de ser consciente y de darse cuenta de las cosas.

Herramienta: ¿Qué es esto?

Aquí tienes cuatro bellas preguntas para todos los usos, que aprendí de Gary y que todo padre puede usar:

- ¿Qué es esto?
- ¿Qué puedo hacer con esto?
- ¿Puedo cambiarlo?
- ¿Cómo puedo cambiarlo?

La madre de dos niños, de cinco y tres años, me dijo que estaba perdida porque no sabía cómo manejar a su hijo de cinco años. A pesar de que no había sido diagnosticado con TDAH, ella creía que él tenía muchos de los síntomas. El niño era impulsivo y se excitaba fácilmente, y no le caía bien a los niños de su edad por la facilidad con la que perdía la compostura.

Ella dijo que recientemente lo había recogido de su preescolar y lo había llevado a práctica de fútbol soccer. Después de eso, ella hizo algunos encargos pendientes con él y su hermano. Primero fueron al banco y después a la tienda de alimentos. Y al salir de la tienda, comenzó a llover fuerte y a pesar de que corrieron, cuando subieron al auto estaban empapados. Ella tenía una toalla y mientras secaba al niño de tres años se rieron juntos. Entonces, al intentar secar al de cinco años, él comenzó a gritarle: "¡noooo! ¡no lo hagaaaaas! ¡no quiero esa toalla!".

Le pregunté a la madre "¿te pidió que lo secaras?".

"No" contestó ella: "¡pero estaba empapado!".

En una sesión anterior, le había presentado estas cuatro preguntas. Le dije "Y si te preguntas a ti misma: ¿qué es eso? ¿qué puedo hacer con esto? ¿puedo cambiarlo? ¿cómo puedo cambiarlo? Comienza con ¿qué es esto? Cuando lo haces, ¿qué obtienes?".

"¡No lo sé! Solo estaba tratando de ayudarle. ¡Fue tan exagerado! Se pone así y no sé qué hacer".

Le pregunte: "¿Y si no tuviera nada que ver con estar mojado? ¿Y si estuvieras usando la toalla equivocada?" Repetí: "¿Qué fue eso?".

Ella dijo: "¡Él se enoja tanto conmigo!".

Le pregunté: "¿Sobre qué se enoja, aparte de cuando lo secas con la toalla?".

"Bueno, supongo que estaba cansado y hambriento".

Le pregunté: "¿Tiene tiempo de descanso?".

Ella dijo: "Bueno, trato de hacer todo. Soy algo perfeccionista. Quiero que todo esté bien".

"Entonces, ¿qué puedes hacer con esa información, de que él está cansado y hambriento y que tú tienes una agenda de cosas que hacer?".

Ella hizo una pausa antes de responder: "Me doy cuenta de que lo presiono demasiado para mantener mi ritmo".

Le pregunté: "¿puedes cambiarlo? ¿cómo puedes cambiarlo?".

Ella dijo: "bueno, podría no hacer tantas cosas. Podría llevarlo a casa y dejar que se relaje. Supongo que ir a preescolar, luego al fútbol soccer y después a los encargos pendientes, es mucho".

Le pregunté: "¿Juegas con él?".

"No tanto. Normalmente estoy bastante ocupada".

"¿Algo que pudieras cambiar?".

Ella rio: "¡Supongo que sí!".

Hablé con ella la semana siguiente. Me dijo que había reorganizado su programa para que su hijo tuviera más "tiempo libre" y estaba asegurándose de jugar con él cada día, aunque fuera un ratito. Ella dijo que la vida en casa era mucho más fácil ahora; él estaba más feliz y ella tenía menos necesidad de "hacer cosas".

Todo porque hizo algunas preguntas.

Marcus

Una de mis amigas, una especialista en patología del lenguaje escolar que trabaja en el sistema escolar público me cuenta la historia de uno de sus estudiantes:

Marcus tenía diez años. Había sido diagnosticado con parálisis cerebral y había estado en una silla de ruedas desde muy pequeño. Nunca había caminado o hablado. Era un niño alegre que, en vez de moverse y hablar, se relacionaba con ella mediante expresiones faciales. Me dijo que su gozo y total ausencia de tristeza con respecto a su condición le había llevado a hacerse la pregunta: "¿Y si esta condición no fuera errónea?". Entonces hizo otras preguntas como: "¿Y si mi objetivo hoy fuera crear tanto gozo y posibilidad en su universo como pueda generarse? ¿Y si esto fuera mi prioridad en vez de intentar que funcione como los otros niños?".

Ella dijo que tan pronto como empezó a hacer preguntas y a desprenderse de su punto de vista de que estaba mal que un niño tuviera los retos de Marcus, empezaron a surgir posibilidades para él que ella nunca había visto. Sus interacciones se hicieron juguetonas y divertidas y él comenzó a disfrutar aún más del tiempo con ella.

Un día, ella le dijo: "Vamos a buscar la forma de que hables". Ella comenzó a usar dispositivos de comunicación aumentativos que se utilizan para ayudar a las personas que tienen dificultades con el idioma hablado y escrito. Ella dijo que la formación que había recibido le indicaba que, como Marcus tenía parálisis cerebral, él no podría hablar ni comprender lo que ella decía. Sin embargo, ella me dijo que después de un tiempo él comenzó a vocalizar y hacer sonidos.

Entonces, un día, cuando ella estaba en el pizarrón impartiendo una lección sobre los colores, le preguntó: "¿De qué color es esto?".

Ella dijo: "En algún lugar a mis espaldas escuché la palabra *verde*. Volteé y encontré a Marcus sonriendo al fondo de la clase. ¡Él lo hizo! No solo dijo verde. ¡Verde era la respuesta correcta!".

5

Todos somos seres infinitos. Eso significa que tus hijos también lo son

Es importante reconocer lo que los niños saben y de lo que se dan cuenta, aun cuando sean muy pequeños. Son seres infinitos, aunque sus cuerpos sean pequeños.

~Gary Douglas

Gary:

Empecemos hablando del hecho de que todos somos seres infinitos. Cada uno de nosotros es un ser infinito y, como ser infinito, tenemos la capacidad infinita de percibir todo, saber todo, ser todo y recibir todo. Podemos funcionar desde la consciencia total en todos los aspectos de nuestra vida, si así lo elegimos.

Uno de los más grandiosos regalos que puedes darte a ti mismo es reconocer que tienes en tu hijo un ser infinito y un cuerpo pequeño. Ese ser, tu hijo, sabe cosas, percibe cosas y recibe cosas. Necesitas reconocer eso y no funcionar desde la perspectiva de que eres superior por ser adulto. Tus hijos también son seres infinitos y el hecho de que sus cuerpos sean más pequeños que el tuyo, no significa que ellos sean más pequeños de lo que tú eres.

Anne:

¡Exacto! Algunas preguntas que hago a los padres son:

- ¿Y si el niño sabe más de lo que tú crees que sabe?
- ¿Y si le preguntas lo que sabe, qué contribución podría aportarte?

A menudo, los padres traen a sus bebés o niños pequeños a sesiones conmigo cuando vienen a hablar de sus hermanos mayores. O vienen parejas porque su matrimonio no está funcionando de la forma en que les gustaría y traen a su bebé o niño pequeño. Es asombroso ver lo que los niños "saben" y la contribución que hacen durante la sesión.

El otro día, vino a verme una pareja por primera vez. Querían hablar de su matrimonio, y trajeron a su hijo de once meses. Él se sentó en el regazo de su madre, me miró un rato antes de bajar al suelo para examinar los juguetes. Continuó mirándome conforme avanzaba la sesión y se acercaba cada vez más a mi silla. Finalmente estaba tan cerca de mí que estaba apoyado en mis piernas. En cierto momento, durante una parte especialmente álgida entre sus padres, se dio la vuelta e intentó montar a mi regazo. Yo lo levanté y se sentó ahí, viendo a sus padres y volteando ligeramente para ver mi cara. Era como si estuviera diciendo a sus padres: "¡No tienen que quedarse ahí atorados, pueden dejarlo ir!". Cuando sus padres comenzaron a moverse de ese punto de discusión, él me indicó que estaba listo para bajarse de nuevo a jugar en el suelo, lo que hizo, manteniéndose consciente de lo que estaba ocurriendo. Periódicamente, se acercaba a ellos, y levantándose junto a sus piernas, los miraba. No estaba pidiendo atención, simplemente estaba presente con ellos conforme trabajaban en sus "cosas".

Él estaba tan presente y era consciente de la crisis que sus padres habían estado creando, así como del cambió que ocurrió cuando ellos eligieron moverse a un espacio diferente. Fue una contribución asombrosa a sus padres, tanto si ellos lo reconocían o no. ¿Cuerpo pequeño? Sí, absolutamente. Está aprendiendo a caminar. Aún no habla con palabras, su coordinación es difícil, y nada de eso le impide saber exactamente lo que sucede.

Gary:

Con frecuencia los adultos suponen que, debido a que los niños son pequeños o tienen cuerpos pequeños, no son conscientes o son poco inteligentes y necesitan ser disminuidos, controlados y se les debe decir qué hacer. La gente los ve como demasiado jóvenes o incapaces para entender lo que sucede, o hacen reglas acerca de lo que pueden o no hacer, sin ninguna consideración por el ser infinito frente a ellos. Esto puede ser parte de lo que vemos en los niños autistas y de su ira cuando no se les reconoce su capacidad infinita de percibir, ser, saber y recibir todo.

Anne:

Los enfurece que les hablen o los traten con condescendencia. Cuando sus padres, otros adultos o sus hermanos mayores se ponen en una posición de superioridad respecto a estos niños, a los que nos referimos como X-Men, los niños tienden a enojarse. ¿Y si ellos no se ven como inferiores? Los niños autistas perciben mucho y pueden frustrarse de forma extrema cuando tienen dificultad para comunicar la información a la gente a su alrededor. Ellos obtienen la información de forma diferente y cuando la gente los juzga o los ve con desprecio, ¡no les gusta!

Una gran pregunta que escuché por primera vez de Dain y ahora le pregunto tanto a los padres como a los niños es:

- ¿Qué sabes, que finges no saber, o niegas que sabes que, si lo reconocieras, cambiaría todo?

Esta pregunta sobrepasa el cerebro del pensamiento lógico y se va directo a la energía de lo que está causando que estés atorado. Crea consciencia de lo que realmente está sucediendo. Y es una pregunta que puedes hacer a los bebés y a los niños pequeños, así como a los niños mayores y a los adultos. No requiere una respuesta verbal, aunque a veces surge una. Es asombroso ver los cambios que pueden surgir después de preguntar esto.

Un brillante niño de nueve años que fue diagnosticado con TDAH y podía haber sido también diagnosticado con autismo leve tenía dificultades en la escuela. Su madre y él estaban en guerra con los maestros, los administradores y los compañeros, y era una guerra por el control. Cuando le pregunté: "¿Qué sabes, que finges no saber o niegas que sabes que, si lo reconocieras, cambiaría todo?", puso los ojos en blanco y dijo: "¡esa es la pregunta más estúpida que he escuchado!" En seguida me estuvo contando, durante treinta minutos, como funcionaba la escuela y como funcionaban algunos maestros y administradores específicos. También reconoció que podría elegir algo diferente en vez de estar en guerra con ellos... si lo elegía. Esta pregunta le dio la toma de consciencia que requería para comenzar a cambiar la forma en que abordaba a la escuela y a los maestros. Y cuando le dijo a su mamá lo que me había dicho a mí, la consciencia de su hijo la liberó para poder lidiar con la escuela de forma que fuera una contribución en vez de una confrontación, que es donde ella había estado atorada.

Los seres infinitos funcionan desde el espacio de la consciencia. Cuando dejas de buscar respuestas acerca o para estos niños, y en su lugar buscas mayor consciencia de lo que saben y lo que requieren en realidad, las cosas cambian. Esto no significa que tú, como adulto, no sepas nada. Por supuesto que sí. Lo que sugiero es que puedes cambiar la energía de una situación e invitar un resultado totalmente diferente si preguntas: "¿Qué contribución puedo ser para mi hijo?" ¿Acaso no tiene eso una energía diferente de decirle cosas o intentar controlarlo? Y qué tal si preguntaras también: "¿Qué contribución puedo recibir de mi hijo?". Tal vez eres como los padres del niño pequeño en mi consultorio que fueron capaces de recibir la contribución de su hijo, a pesar de que tal vez no estaban conscientes de que estaban haciendo eso.

Gary:

Lo más importante que puedes hacer, como padre o maestro, para asistir a estos niños a acceder a sus talentos y capacidades es reconocer que todos los niños son seres infinitos con una habilidad infinita para percibir, saber, ser y recibir todo. Esto es especialmente verdad para niños con autismo, TOC, TDA, TDAH y todas las demás etiquetas, porque tienen dones especiales.

Anne:

Uno de los errores que la gente comete es suponer que, como los niños son pequeños, no saben nada o no se dan cuenta.

Una abuela trajo a su nieta de cuatro años a verme. La niña se agitaba fácilmente en el preescolar y tenía pesadillas durante la noche. Dormía en la cama tamaño King con su abuela, abrazada a su cuerpo.

La madre de la niña había sido brutalmente asesinada por un novio, y la abuela no quería que su nieta supiera del crimen por haber sido tan horrible y por ser la niña tan joven. Le dijo a la niña que su mamá se había enfermado y los médicos habían intentado salvarla, pero no habían podido curarla.

Unos meses después de que la niña empezara a hacer terapia de juego conmigo, su abuela me dijo que había estado preguntando como había muerto su madre. "Me dice que los niños de la escuela quieren saber cómo murió su mamá. No sé qué decirle. No puedo decirle lo que sucedió".

Le pregunté: "¿Y si ella ya lo sabe?". La abuela se negó al principio, insistiendo que la muerte había sido demasiado horrible y su nieta era demasiado pequeña.

La niña persistía, y un día, su abuela le preguntó: "¿Qué sabes tú de cómo murió mamá?".

En un lenguaje de cuatro años, la niña describió correctamente y en gran detalle exactamente cómo había sido asesinada su madre.

La abuela estaba impactada. "¿Cómo lo supiste?", le preguntó.

"Abue, él me lo dijo, se lo dijo a mamá y hasta le dijo al perro lo que nos iba a hacer". Ella entonces repitió las amenazas del asesino.

La abuela le dijo: "Lo que él hizo fue muy malo, y va a pasar el resto de su vida en la cárcel encerrado. El juez dijo que nunca va a poder salir. Nunca va a poder venir a lastimarte".

Esa noche, la niña durmió de su lado de la cama por primera vez desde la muerte de su madre, y en pocos días estaba durmiendo en su cama de nuevo.

Todo esto por reconocer que su nieta era un ser infinito en vez de una niña demasiado joven para saber cualquier cosa, y después hacer una simple pregunta: "¿Qué es lo que sabes?".

6

Lo que nos enseñó un lobo acerca de cómo se comunican los niños con autismo

Cuando entiendes cómo se comunican los niños con autismo, tu comunicación con ellos puede ir a un lugar que te permita a ti, y a ellos, tener mucha mayor facilidad.

~Dr. Dain Heer

Gary:

He hecho mucho trabajo con animales, especialmente con caballos, pero también con perros y otras criaturas de cuatro patas, porque los animales hablan conmigo.

Un día, una dama me llamó y dijo: "Tengo un problema con mi lobo. Estoy preparándome para un viaje y se ha puesto muy ansioso. Sigo intentando calmarlo. Le digo que todo va a estar bien, que me voy y regresaré, pero se pone cada día más frenético.

Le dije: "Veré si puedo trabajar con él".

Fui con ella a su rancho y le pregunté: "¿Qué sucede, señor lobo?" y me descargó una cantidad increíble de información.

Le dije: "Hazlo más lentamente. No puedo entender eso. Es demasiado rápido para mí".

Él lo hizo más lento y comencé a recibir sus imágenes. Me dejó saber que la dama había estado diciéndole que se iba y que regresaría y que no se preocupara.

Le pregunté: "¿Qué significa eso para ti?" y me mostró que ella moría. Él pensaba que ella estaba diciendo que moriría y que regresaría con otro cuerpo, porque eso había sucedido antes. Ella había muerto, todos los lobos la lloraron, y después regresó con otro cuerpo.

Este fue el primer lobo con el que lidié, y me sorprendió su capacidad de descargar información. No sabía que esa era una capacidad que tenían los lobos. Pensaba que era más parecida a una realidad perruna.

Le aseguré que la dama no se iba a morir; ella simplemente se iría un par de semanas y regresaría. Nuestra conversación lo calmó. Dejó de dar vueltas y de seguir a la mujer por toda la casa. Comenzó a comer de nuevo y volvió a sus hábitos de sueño normales. La mujer fue capaz de hacer su viaje sin preocuparse por él.

Unas semanas después de trabajar con el lobo, Dain me pidió ayuda con una dama y su hijo autista.

Dain:

Una mujer llamó y me preguntó: "¿Podrías trabajar con mi hijo Nicolas, de cuatro años?"

Le contesté: "Con gusto. ¿Qué sucede?"

Ella dijo: "Es autista. Sólo tiene un vocabulario de cuarenta palabras".

Entonces, le pregunté a Gary: "¿Nos acompañas?" y él dijo "Sí".

Durante el trabajo con Nicolas, Gary se dio cuenta que Nicolas le descargaba tal como había hecho el lobo. Era una descarga instantánea, como reproducir una película completa en un segundo. Nicolas descargaba toda la película de una vez. No escena uno, escena dos, escena tres, y así. Para alguien autista eso sería doloroso.

Gary:

Trabajamos con Nicolas durante una hora. Aprendió una palabra nueva y nosotros obtuvimos una cantidad asombrosa de información acerca de los niños autistas. Una de las cosas que descubrimos es que los niños autistas no tienen separación entre presente, pasado y futuro. Para ellos, todo es aquí y ahora.

En cierto momento, la madre de Nicolas nos dijo: "Pienso que mi hijo es uno de mis abuelos".

Yo le pregunté: "De verdad, ¿cuál?".

Ella dijo: "Creo que es mi abuelo".

Le pregunté: "¿Cuál era el nombre de tu abuelo?"

Ella dijo: "Bill".

Me volví hacia Nicolas. Él estaba de frente a la ventana, viendo hacia afuera, hacia el horizonte. Dije: "Bill", y él instantáneamente volteó y me miró a los ojos. Para aquellos de ustedes que pueden no saber acerca de los niños autistas, no les gusta hacer contacto visual. Para ellos es difícil hacerlo, y rara vez ocurre.

Dain:

Durante el tiempo que pasé con Nicolas y su madre, habíamos dicho el nombre de Nicolas varias veces, pero nunca lográbamos una respuesta. Fue muy interesante ver la forma en que respondió al nombre de Bill. También fue muy interesante la forma en que Nicolas aprendió la palabra brincar.

Gary:

Nicolas estaba subiendo a una escalerilla y brincando desde ahí, y como me había dado cuenta de que estaba comunicándose telepáticamente, quise ver si darle la imagen de brincar al mismo tiempo de decir la palabra brincar podría ayudarle a aprender una palabra nueva.

Después de hacerlo un par de veces, él dijo: "brincar".

Cuando terminamos de trabajar juntos, Nicolas fue a la puerta y comenzó a pegar en la manija. Su madre le repetía: "Nicolas, ven acá, ponte tus zapatos, vamos. Ponte tus zapatos".

Recordando lo que había aprendido del lobo, le dije: "Él no entiende los pasos como los estás segmentando. Debes descargarle la imagen completa de él dejando la puerta, caminando hacia ti, sentándose, poniéndose sus zapatos, permitiéndote amarrarlos, tomando tu mano y después los dos saliendo por la puerta".

Ella preguntó: "¿Cómo hago eso?".

Le dije: "No hay cómo. Sólo hazlo".

Ella lo hizo, y Nicolas instantáneamente dejó la puerta, se acercó a ella y se sentó. Ella le puso los zapatos, los amarró. Él tomó su mano y la llevó a la puerta.

Dain:

Fue como pasarle toda una película de una vez y decirle: "Aquí tienes. Aquí está la película completa".

Gary:

Es la forma en que se comunican los niños. Son psíquicos o telepáticos o como quieran llamarle. Obtienen la película completa de una vez, pero en vez de darse cuenta de como funciona su mundo, intentamos hacerlos más lentos y funcionar en nuestro mundo de paso a paso.

Dain:

Llamé a la madre de Nicolas unos dos meses después de que trabajamos con Nicolas para ver como estaban. Ella dijo: "Bueno, estábamos genial, pero durante los últimos diez días, Nicolas ha estado empeorando. ¡No sé qué está mal! Ha comenzado a exhibir casi todas las señales de autismo".

Le pregunté: "¿Qué sucede? ¿Qué cambió?

Ella dijo: "No lo sé".

Le pregunté: "¿Has estado haciendo algo diferente?".

Ella dijo: "Bueno, durante los últimos diez días o así he estado investigando los síntomas del autismo por internet".

Le dije: "Recuerdas que te dijimos lo psíquico y consciente que es Nicolas? ¿Y como no tiene pasado, presente o futuro? Él es toda consciencia. Él está dispuesto a sacar todo de tu cabeza. Si estás leyendo sobre síntomas de autismo, él va a captarlos de tu cabeza y manifestarlos. ¿Me harías el favor de dejar de hacer eso hoy?".

Ella dijo: "Pero tengo que hacer esta investigación".

Le contesté: "No, no tienes que hacerla. Tienes que estar con tu hijo, y tienes que dejar de joderlo con lo que sucede en tu cabeza".

Cuando volví a preguntarle como iba, las cosas habían vuelto a la normalidad. Había renunciado a investigar sobre el autismo, solo para ver qué sucedía, y Nicolas dejó de exhibir todos los síntomas sobre los que ella había estado leyendo.

Gary:

Unos cuantos meses después, hicimos una clase de X-Men en Houston, y ella llevó a Nicolas. Le pregunté: "¿Cómo le va a Nicolas en la zona de juegos?".

Ella dijo: "Oh, no hay problema en la zona de juegos. Él juega con otros niños".

Yo le pregunté: "¿De verdad?" ¿Habla con ellos?".

Ella dijo: "No, pero parece que ellos hacen lo que él quiere. El siempre es el líder".

Dain:

Solo se comunica con imágenes con los otros niños y ellos no tienen barreras respecto a comunicarse de esta forma.

Gary:

La madre de otro niño autista con quien trabajamos dijo algo similar. Le pregunté si tenía otros hijos y dijo que sí, que tenía otro niño y otra niña. Le pregunte como se llevaba el niño autista con su hermano.

Ella dijo: "Oh, es grandioso con su hermano. Juegan muy bien".

Le pregunté: "¿Te das cuenta de que se comunican telepáticamente?". Ella dijo: "¿Qué quieres decir?".

Le pregunté: "¿Los oyes hablar?".

Ella dijo: "No, nunca". Ella no se había dado cuenta que los dos niños jugaban sin hablar. Se estaban comunicando telepáticamente. Eso es de lo que son capaces estos niños.

Estaría dispuesto a apostar que, si tienes un hijo autista, has estado comunicándote telepáticamente con tu hijo y no te has dado cuenta. Ellos ponen cosas en tu cabeza. Dirán: "Vete" y tú dirás "Me voy ahora". Ellos dirán: "Tengo hambre", y tú les preguntarás: "¿Qué te gustaría comer?". Un montón de niños hacen esto antes de aprender a hablar.

Una dama en Australia trajo a su sobrino autista y a su madre a verme a la casa de mi amiga Simone. Estábamos en la cocina parados y yo estaba tratando de entrar en la cabeza del chico para ver qué le sucedía. De pronto, su madre le preguntó a Simone: "Tienes algún jugo?".

Simone dijo: "Sí, hay en el refrigerador. Tómalo".

La mujer se acercó al refrigerador y le preguntó a su hijo: "Billy, ¿te gustaría un poco de jugo?".

Yo le dije: "Espera un minuto. ¿Te das cuenta de que él está frente al refrigerador y él sabe lo que hay adentro? Pone en tu cabeza que le sirvas jugo, y ¿ahora le estás preguntando si quiere jugo? Tienes que darte cuenta. Este niño se comunica telepáticamente contigo.

La mamá asintió y sonrió. En el momento que se lo dije, ella supo que era verdad.

Dain:

Tus hijos pensarán una pregunta hacia ti y tú la contestarás, y nunca te darás cuenta siquiera que tu hijo no habló. Si decides que la única forma de comunicarse con tu hijo es que él aprenda a hablar, no serás capaz de ver que hay todo un mundo de comunicación disponible para ustedes. Tienes que comenzar a poner atención cuando los niños piensan cosas hacia ti y a la información que te llega, porque, aunque todavía no lo sepas, puedes comunicarte con ellos. Tienes las mismas habilidades que ellos.

7

Comunicándose con imágenes

¿Has tenido alguna vez la experiencia de tener que hacer algo, como ir a una reunión, sacar a todos de casa a tiempo, o llevar a los niños a la cama, y resultó ser tan difícil como creíste que iba a ser? ¿Y si todos los involucrados estaban enviándose entre sí las imágenes que crearon la situación?

~Anne Maxwell

Anne:

Muchos padres con quienes he trabajado han mencionado que sus mañanas son difíciles. La mamá de una niña de siete años que había sido diagnosticada con autismo leve nos dijo que desde el minuto que sonaba la alarma en la mañana, la casa se llenaba con una energía de fastidio, y las mañanas eran típicamente difíciles, con rabietas, molestias, ira, drama y sin lograr nada. Ella me dijo que dividía las tareas, como le habían enseñado, dando a su hija la primera cosa para hacer, y cuando eso estaba listo, le daba algo más. Sin embargo, ella reconoció que no funcionaba, al punto que no lograban hacer nada, ni siquiera la primera tarea. Y todos en casa se molestaban.

Hablamos de enviar imágenes en vez de dividir verbalmente las tareas para que su hija las hiciera. Le pedí que recordara una mañana que hubiera sido fácil y que accediera a la energía de como había sido esa mañana. Entonces le pedí que enviara a su hija, a los otros niños y a su marido, una "imagen" de la energía de las cosas siendo hechas con paz y facilidad. Ella lo hizo, y dijo que las mañanas cambiaron casi inmediatamente.

Unas semanas más tarde, me llamó para agradecerme, y para decirme que ella le estaba enviando imágenes a su hija tanto cuando estaba frente a ella como cuando no, y que las imágenes a distancia funcionaban "bastante bien". Ella dijo que su hija estaba logrando hacer mucho más en las mañanas, y que las mañanas, y también el resto del día, eran mucho más fáciles. Ella me dijo que ya no tenía que estarle diciendo, o recordando o molestando a su hija para que hiciera las cosas, y eso estaba creando mucha más facilidad entre ambas.

Gary:

A veces, te comunicas con imágenes sin siquiera darte cuenta, solo porque tienes la intención de que tu hijo te entienda. He hablado con un padre en Australia, quien dijo: "Cuando mi hija, quien es autista, era más pequeña cualquier cosa nueva le causaba mucha ansiedad. Si íbamos a hacer algo diferente, tenía que explicárselo. Y, como todos los adultos saben, a veces es difícil explicar algo nuevo a un niño pequeño. Le decía: 'Tenemos que ir a Perth'. Ella me preguntaba: '¿Qué es Perth?' y así seguíamos. Pienso que, sin saberlo, comencé a poner las cosas en imágenes, porque a media conversación, ella decía: 'Oh, sí, lo recuerdo. Está bien'".

Anne:

Una mamá me dijo que le enviaba imágenes a su hijo dándole un abrazo él a ella cuando llegaba a casa al final del día, y él lo hacía. Otra mamá me dijo que ella enviaba imágenes a su hija adolescente de tener una habitación limpia y ordenada y, extrañamente, la hija ordenaba su habitación el fin de semana.

Gary:

Le mostré a la madre de un niño pequeño que era autista cómo comunicarse con imágenes. Al día siguiente, ella me dijo: "Esta mañana, cuando lo estaba cambiando, pensé en descargarle lo que haríamos. Nos vestiríamos y saldríamos a pasear. Le descargué toda la mañana. Él solo se quedó ahí acostado y de pronto dijo: "¿zapatos?" Así que le puse los zapatos, y entonces, dijo: "¿paseo?"

Si vas a comunicarte con un niño que es autista, debes descargarle todo el paquete completo. No lo haces paso a paso a paso: "Haz esto, haz esto, haz esto, haz esto". ¡Son tan rápidos! En vez de acelerar hacia donde funcionan ellos, intentamos alentarlos para vivir en nuestra realidad. Ese es el error que cometemos. Su realidad es mucho más rápida.

Dain:

La mayoría de los niños no tienen resistencia a muchas cosas. Están dispuestos a ir con el flujo y, a diferencia de ti, no tienen que salir a ganar dinero y no les preocupa su pensión. Ellos dicen: "Sí, mamá. haré lo que quieras". Todo lo que debes hacer es decirles qué es lo que quieres.

Si hay algo a lo que tu hijo se resiste, lo sabrás cuando le das la imagen, porque la energía se detendrá ahí. Será: "Oh, esta parte acerca de llevarme al dentista. No estoy seguro acerca de eso, mamá". Sabrás cuándo comienza la resistencia porque sentirás que la energía se detiene.

Gary:

Una mamá nos dijo que descargaba información a su hijo respecto a ir a una cita con un profesional de salud holística, que iba a implicar que el médico tocara la columna vertebral del niño. Al niño no le gustaba ser tocado, así que el objetivo de la madre era que la cita fuera lo más fácil y tranquila posible.

Cuando le descargó la información al principio, él no estaba muy feliz con la idea, así que lo intentó de nuevo y le envió una imagen mayor, más completa de lo que iba a suceder, y que él estaría muy bien respecto a ir.

De camino a casa, de vuelta de la cita, la madre le preguntó: "¿Cómo estuvo?"

El niño dijo: "Oh, estuvo bien".

La madre preguntó: "te tocó, ¿verdad? ¿Cómo te has sentido respecto a eso?" Y el niño respondió: "fue lindo".

Dain:

Comienza a descargar pequeños pedacitos de información a tus hijos cuando son pequeños, y continúa expandiendo cuando crezcan. En algún momento, comenzarán a descargar hacia ti también. Cuando eso comienza a suceder, tendrás una conexión y comunión con ellos que será tan extraordinaria que no se rebelarán en tu contra para tener un sentido de sí mismos. Y si tus hijos ya son mayores, nunca es demasiado tarde para comenzar.

Muy pronto tus hijos estarán poniendo imágenes en tu cabeza sobre lo que desean, y tú las recibirás. Sucede poco a poco. Debes de seguir practicando. Es como desarrollar un músculo o entrenar para una carrera de cinco kilómetros. La primera vez que lo intentas, tal vez solo puedas correr cinco calles. Debes de seguir haciéndolo.

Gary:

Cuando comienzas el proceso de enviarles imágenes, comienzan a poner imágenes en tu cabeza. Un día te encontrarás caminando hacia la cocina por algo para ellos y te detendrás y te preguntarás: "¿qué estoy haciendo? ¿Por qué estoy sirviendo el puré de manzana?". Ni siquiera lo sabrás lo que estás haciendo porque no pidieron el puré de manzana en voz alta.

¿Tus niños alguna vez te ignoran cuando les llamas para que entren a casa? Cuando te ignoran, intenta llamarles con tu cabeza en lugar de con tu voz y verás lo que sucede. Cuando quieres que vengan a casa, envíales una imagen de ellos corriendo a casa muy rápido. Después de un rato, obtendrán la imagen y dirán: "Debo de ir a casa ahora". Todos los niños tienen la habilidad de hacer esto, pero los entrenamos para dejar de hacerlo al gritarles y chillar. También debes estar dispuesto a dar el extraño paso de darte cuenta de que tú, al igual que ellos, eres telepático.

Cuando Dain y yo hacíamos una clase de X-Men en Australia, vino a la clase una pareja de casados que tenían tres niños autistas. Nos dijeron que era una pesadilla el alistarlos para la escuela en la mañana. Los niños simplemente no hacían lo que necesitaban hacer para alistarse y nunca llegaban a tiempo a la escuela. A uno de los niños no le gustaba comer, y era un problema que desayunara. Otro niño nunca se vestía antes de subir al auto y aún entonces, no quería ponerse nada. Él quería mantenerse en pijama todo el día. El tercer niño solo deambulaba y nunca estaba listo para irse.

Les dije: "Necesitan darles un programa del día en tu cabeza, todo al mismo tiempo. Solo Mándenles una imagen de lo que van a tener que hacer todo el día".

Ellos dijeron: "Bien, lo intentaremos".

Vinieron la siguiente noche para una clase, y dijeron: "Qué día tan asombroso. Los niños estaban despiertos, desayunados y en el auto antes que nosotros. Y al final del día, cuando normalmente tendríamos que ir a buscarlos y perseguirlos, estaban parados en la banqueta esperando por nosotros. Nunca habíamos tenido un día como ese. Y en la cena, nuestro hijo a quien no le gusta comer, ¡comió!".

Les dije: "Sí, solo tienen que darle todo lo que va a suceder de una sola vez". Es la única forma en que estos niños perciben. No entienden cuando les dicen: "Vamos a hacer esto, y después vamos a hacer esto". Esa no es su realidad. Todo sucede ahora para ellos, así que, si les dan la imagen del día completo, de pronto, tienen hijos que están a tiempo, haciendo lo que requieren hacer, y haciéndolo de la forma que necesitan que lo hagan. Porque, a pesar de que aún no lo sepan, pueden comunicarse con ellos. Ustedes tienen las mismas habilidades que ellos.

8

Captando los pensamientos, sentimientos y emociones de los demás

¿Y si fueras mucho más consciente de lo que te das crédito de ser?

~Gary Douglas

Gary:

En la comunidad psicológica, el Trastorno Obsesivo Compulsivo (TOC) se define como un trastorno de ansiedad en donde la persona tiene pensamientos, sentimientos, ideas, sensaciones (llamadas obsesiones) o comportamientos repetidos y no deseados que le hacen sentirse forzada a hacer ciertas cosas (llamadas compulsiones). Se cree que una persona lleva a cabo estos comportamientos para deshacerse de los pensamientos obsesivos, pero el comportamiento solo da alivio temporal. No hacer los rituales obsesivos puede causar gran ansiedad.

Parece que hay algo de cierto en esta observación, pero en nuestro trabajo con personas con TOC, hemos descubierto algo interesante. Los pensamientos, sentimientos y emociones que tienen estas personas de hecho no son suyos. Están captando los pensamientos, sentimientos y emociones, así como el sexo y no sexo de todas personas que se encuentran entre ocho y 8000 kilómetros al derredor.

Probablemente tú sabes claramente lo que son pensamientos, sentimientos y emociones, pero probablemente no estés familiarizado con la idea de sexo y no sexo. Cuando decimos sexo y no sexo, no nos referimos a la copulación. Elegimos estas palabras ya que hacen surgir la energía de recibir y no recibir mejor que cualquier otra. La gente usa sus puntos de vista acerca del sexo y del no sexo como una forma de limitar su recibir. Sexo y no sexo son universos excluyentes, universos de esto o aquello, cuando, ya sea que te haces presente (sexo) excluyendo a todos los demás, o escondes tu presencia (no sexo) para no poder ser visto. En ambos casos, dado el enfoque en ti mismo, no te permites recibir de nadie ni de nada.

Dain:

Imagina captar cada pensamiento, sentimiento, emoción, sexo y no sexo de todos en un radio de ocho kilómetros. ¿Te daría eso montones de pensamientos, sentimientos y emociones? ¡Sí!

Gary:

¿Tendería a sobrecargar tu sistema? ¡Sí! Y así es como se siente para la gente con TOC.

Dain:

Cuando el sistema se sobrecarga así, el hacer algo repetitivo, como colocar algo o lavar las manos, ofrece algo de alivio. Es el momento en que estás suficientemente enfocado en una cosa para poder callar tu consciencia de toda la información que te está llegando.

Gary:

TOC se llama condición o incapacidad; sin embargo, consideramos a este tipo de consciencia una habilidad.

Trabajé con una niña de ocho años cuyos padres iban a colocarla en una escuela especial. Ella era increíblemente compulsiva. Lavaba sus manos repetidamente y decía: "Lo siento, lo siento, lo siento". Trabajamos juntos durante dos horas, y al final de las dos horas, le dije a la madre que la niña era psíquica y captaba información de ochenta kilómetros a la redonda.

La madre dijo: "Sí, claro".

Unas tres semanas después, la madre me dijo: "Recuerdas cuando dijiste que mi hija era increíblemente psíquica y que podía captar los pensamientos, sentimientos y emociones de la gente a su alrededor? Pensé que eran puras mentiras".

Esta es la frase más común que escucho en mi trabajo. Ella dijo: "No te creí cuando dijiste que podía captar los pensamientos de los demás, pero ayer, estaba sentada en el coche con ella. Estaba pensando lo mucho que la amo, y ella volteó y me dijo: 'Yo también te amo, mamita'. Ella escuchó lo que pensaba como si lo hubiera dicho".

Han alguna vez has tenido la experiencia de oír algo y responder y después ver a la persona abrir la boca y decir: "¡Oh!"? Tú oíste y respondiste, pero ellos no habían dicho nada, lo habían pensado. Los niños con TOC tienen esa capacidad, y tú también.

En algún momento, tuve que trabajar con esta niña de nuevo, porque la acosaban pensamientos de tener sexo con mujeres. Le dije: "Cierra los ojos y dime de donde viene esa energía".

Ella cerró los ojos y apuntó a un apartamento en el garaje de al lado.

Le pregunté a su padre: "¿Quién vive ahí?".

Él dijo: "Un amigo mío".

Le dije: "¿Puedes por favor ir a preguntarle si está viendo pornografía?".

Resulta que el hombre pasaba buena parte del día viendo pornografía y esta niñita estaba captando sus pensamientos respecto a tener sexo con mujeres y pensando que había algo sucio en ella.

Herramienta: ¿Qué percepción estás teniendo?

Esta es la herramienta número uno que puedes usar con alguien que tiene TOC. ¿Qué percepción estás teniendo?

No preguntas: "¿Qué emoción, pensamiento o sentimiento tienes?", porque eso los hace suyos, y no lo son. Es algo que perciben.

Dain:

¿Ves la diferencia entre percibir algo y sentir algo? Si digo: "me siento triste", te acabas de hacer triste, a pesar de que no lo estabas. Si sientes algo, te lo apropias, y entonces eres o estás lo que decidiste que sentías.

"Percibo tristeza" es una cosa totalmente distinta. Eso dice: "tengo consciencia de la tristeza". Y no necesariamente es algo que estás siendo o estando.

Gary:

Percibo tanto en mi cuerpo y todo lo que sucede con los cuerpos de todos los demás, todo al mismo tiempo. La única forma en que puedo funcionar es si hago preguntas respecto a aquello de lo que me doy cuenta. Si dijera: "Tengo este sentimiento, este sentimiento y este sentimiento", estaría muerto. No sería capaz de caminar y hablar, si tuviera todas las cosas que percibo. Saber que puedo percibir o tener consciencia de eso sin hacerlo mío crea una diferencia asombrosa.

La gente con TDA, TDAH y autismo también tiene una habilidad asombrosa de percibir los pensamientos, sentimientos y emociones de los demás.

Anne:

Yo estaba trabajando con la madre de un niño de nueve años, quien había sido diagnosticado con TDAH. El tenía también muchos rasgos no diagnosticados de autismo. La madre trabaja desde casa de vez en cuando. Un día, cuando estaba trabajando desde casa, su hijo estaba ahí también, porque había un entrenamiento para los maestros en la escuela. El niño estaba en su habitación en el segundo piso de la casa y su madre estaba en su oficina en el primer piso, asistiendo ella a una reunión en vivo en su computadora. Conforme progresaba la reunión, ella se comenzó a sentir más y más enojada con algunos colegas.

Ella me dijo que no estaba hablando ni haciendo sonido alguno. Ella ni siquiera movía su silla o los papeles en su escritorio. Su hijo bajó, la vio y preguntó: "Mamá, ¿estás bien?".

Ella reconoció que estaba molesta acerca de un tema del trabajo y no con él, y él dijo: "Bien, mamá, ¡solo preguntaba! No sabía si había hecho algo mal".

¡Qué asombroso que él pudo percibir el enojo de ella, hacer una pregunta y no adueñarse de eso! Él sabía que no había causado el enojo de ella, y no "sentía" su enojo tampoco, enojándose él. Simplemente lo percibió.

TDAH y comportamientos perjudiciales

Gary:

A veces, la habilidad de un niño de percibir los pensamientos, sentimientos y emociones de los demás, puede resultar en lo que se conoce como comportamiento perturbador.

Hablé con una mujer cuya hija había sido diagnosticada con TDAH. Cuando la niña estaba con su madre, generalmente estaba bien. Hacía un berrinche de vez en cuando. Cuando ella estaba con su padre y su madrastra, ella estaba en un constante estado de arrebato y finalmente la enviaron a un internado y la medicaron por ello.

La niña iba a volver a vivir con su madre, quien quería saber la mejor manera de asistir a su hija.

Dain:

La gente con TDAH tiene propensión a captar la angustia y la preocupación a su alrededor, y muchas veces tienen un padre o una pareja que se preocupa por todo.

Gary:

Le dije a la madre: "Ella puede estar actuando de esta manera por la situación entre su padre y su madrastra. Puede estar consciente de alguna incomodidad en su universo, pero tal vez no sabe como lidiar con ello. Tal vez está tratando de desviarse de sus problemas".

La madre dijo: "Todo lo anterior".

Le pregunté: "¿Puedes reivindicar, asumir, reconocer y admitir que el mayor problema de la niña es que es más consciente de lo que su padre y su madrastra podrán jamás estar dispuestos a considerar?

Debes recordar que los niños captan tus pensamientos, sentimientos y emociones. Si estás molesto, preocupado, o inquieto respecto de algo o si piensas que habrá un problema o que algo será difícil, ¿qué crees? Los niños captarán eso y dirán: "Oh, esto va a ser difícil". Tienes que tener claro que estos niños son mucho más conscientes de lo que estás reconociendo.

Los padres suponen muchas veces que los niños se cierran. Al contrario, reciben demasiada información y no saben qué hacer con todo eso. Mantente dispuesto a dejar ir las cosas para que tu hijo no tenga problemas con lo que sucede en tu universo.

Anne:

Los niños definitivamente captan los pensamientos, sentimientos y emociones de sus padres respecto de ellos. Al intentar conectar con sus padres o tener una relación amorosa con sus padres, harán lo que puedan para igualar esos pensamientos, sentimientos y emociones. Trabajé con una mamá que peleaba constantemente con su hija adoptada de ocho años. Ella decía que su hija iba bastante bien en la escuela, era solo cuando estaba con ella que daba problemas y explotaba enojada.

Me dijo que su hija le había sido entregada cuando la niña tenía dos años. La había encontrado la policía viviendo en un auto con su padre, quien era un drogadicto que murió poco después. La mamá dijo: "A los dos años, mi hija era 'silvestre'. Era totalmente salvaje. Pensaba que, dada la carencia y el descuido que había experimentado tendría todo tipo de problemas y salí a arreglarlos por ella. Imagino que la veía como un problema que debía resolver".

Le pregunté si era buena resolviendo problemas y dijo que lo era.

Después le pregunté: "¿Y si no hubiera nada malo con tu hija? ¿Y si, al actuar así contigo te está ayudando a hacer un buen trabajo y ser una buena mamá, permitiéndote arreglar todos los problemas que te presenta? ¿Y si mucho de lo que está haciendo es para mostrarte lo mucho que te quiere? Me pregunto lo que podría cambiar si ella ya no fuera tu problema".

Las lagrimas llenaron su cara, después rio y dijo: "¡Es la primera vez que alguien me dice algo que tenga sentido!". Cuando la vi la siguiente semana, me dijo que las rabietas de su hija habían casi desaparecido. Ella dijo que cuando dejó de pensar que su hija era un problema que tenía que ser arreglado, hubo un cambio energético que ocurrió entre ambas. Por primera vez, se habían abrazado y apapachado en el sillón después que sus hermanos menores se habían ido a la cama y había sido maravilloso. Me dijo: "Es todo tan nuevo. Nunca pensé que podríamos ser capaces de pasar esa calidad de tiempo juntas… ¡jamás!".

Herramienta: ¿A quién le pertenece esto?

Gary:

¿Y si tú y tu cuerpo fueran como antenas de radio gigante que captan pensamientos, sentimientos y emociones de la gente a tu alrededor? ¿Y si el 99,9% de cada pensamiento, sentimiento y emoción que percibes no te perteneciera? Adivina… Tú como los niños de quienes hablamos, estás captando constantemente pensamientos, sentimientos y emociones que le pertenecen a otras personas.

Aquí tienes una herramienta que puedes usar cuando percibes un pensamiento, sentimiento o emoción. También puedes enseñársela a tus hijos. Haz la pregunta: ¿A quién pertenece esto?

Haz esto en este momento: Toma un pensamiento, sentimiento o emoción que has tenido en los últimos días o que estás teniendo ahora, y pregunta: "¿A quién le pertenece esto?".

Cuando preguntas esto, ¿el pensamiento, sentimiento o emoción se hace más ligero o desaparece? ¿Se hace más pesado? ¿O se mantiene igual?

Si se fue, no era tuyo. Era una consciencia de los pensamientos, sentimientos o emociones de alguien más.

Si se hizo más ligero, pero no desapareció, puedes devolverlo al remitente. Ni siquiera tienes que saber quién fue. Solo di: "Devolver al remitente".

Si se hizo más pesado o se quedó igual, has comprado que ese pensamiento, sentimiento o emoción te pertenece. En ese caso, puedes "des comprarlo" y devolverlo al remitente.

Anne:

Un niño de diez años que estaba en el programa para niños superdotados en una escuela primaria local luchaba con sus exabruptos agresivos hacia otros niños en la escuela. Era tan rápido y consciente, y su percepción de los pensamientos, sentimientos y emociones de todos los demás lo inundaba y lo hacía pensar que eran suyos. Él había sido suspendido varias veces y verdaderamente creía que había algo mal en él. Después de una suspensión, su papá lo trajo a mi oficina y comenzamos a trabajar juntos.

En nuestras sesiones, él normalmente elegía jugar con Legos y hablábamos mientras creaba. Un día él dijo que desearía dejar de ser agresivo, pero cuando le ofrecía las herramientas como "¿a quién pertenece esto?" ponía los ojos en blanco y encogía los hombros.

Empero, con el tiempo, le suspendieron menos y fue capaz de hacer algunos amigos. Ese verano, participó en un taller que yo facilité llamado "ser visto y escuchado". Un día, se subió al escenario, y en vez de cantar como la mayoría de los niños, eligió hablar a la audiencia. Se presentó y dijo a todos que había pasado varias semanas sin explotar y, de hecho, el personal del campamento al que asistía lo había felicitado por ser un líder (el año anterior lo habían suspendido del mismo campamento). Entonces me miró y dijo: "Sabes, esa pregunta de '¿a quién pertenece esto?' ¡Funciona!" Él entonces habló directamente con la audiencia y explicó como funcionaba y como la usaba a su favor.

Herramienta: ¿Por quién estás haciendo esto?

Gary:

Muchos niños que tienen habilidades como TDA, TDAH, TOC y autismo captan los pensamientos, sentimientos y emociones de la gente que piensa mal de sí misma. De hecho, saben que son más capaces que los demás e intentan asumir los sentimientos y pensamientos de los demás para que no se sientan tan mal consigo mismos. Lamentablemente, eso no funciona, porque no le puedes quitar nada a nadie a menos que quiera que lo hagas.

Dain:

La mayoría de la gente no está dispuesta a dejar ir sus malos sentimientos, así que si se los quitas, hacen más. Y entonces intentas quitarles esos también. Te sientes más pesado y ellos hacen más sentimientos malos. Les quitas más, hacen más. Les quitas más, hacen más.

Si percibes que un niño está actuando las emociones de otras personas, puedes preguntar: ¿Por quién estás haciendo eso? Por ejemplo, si alguien con TDAH dice: "me siento ansioso" o "tengo ansiedad", puedes preguntar: "¿Por quién lo estás haciendo?". Ellos probablemente se den cuenta que están sintiéndose ansiosos por alguien más.

Gary:

Las personas que son consideradas como discapacitadas tienen mucha más consciencia de lo que creemos acerca de lo que sucede. Muchos niños son discapacitados emocionales porque captan demasiado la emoción a su alrededor. No discriminan respecto a lo que les pertenece y no les enseñamos que las cosas no les pertenecen.

Empieza a hacer estas preguntas a tus niños y a enseñarles estas herramientas y comenzarán a usarlas por su cuenta cuando sus sistemas se desborden con información que pertenece a alguien más. Estas herramientas los liberan de pensar que su percepción es un sentimiento que están teniendo.

Me encanta trabajar con niños. Ellos captan las herramientas instantáneamente y las usan en todos los aspectos de la vida. Permitimos a los niños venir a cualquier clase de Access Consciousness gratis hasta los dieciséis años. Tenemos un montón de niños que comenzaron a venir a nuestras clases cuando eran muy pequeños y hacen cosas geniales.

Aun los niños que son muy pequeños pueden aprender a usar estas herramientas. Una niñita en Queensland, Australia tenía dos años cuando vino a su primera clase de Access Consciousness. Ella ahora conoce y usa montones de las herramientas de Access. Un día su madre tenía un tema emocional, y la niñita le preguntó: "Mami, ¿a quién le pertenece eso? Y le pidió que lo devolviera al remitente".

La mamá rio y lo devolvió al remitente.

9

Trabajando con niños que tienen consciencia esférica

La diferencia entre tú y estos niños es que tú has definido el pasado como algo que ya sucedió, ves el futuro como un misterio y después tienes tu presente, que piensas que es un dolor de muelas. Ellos no hacen esa distinción.

~Gary Douglas

Gary:

Mucha gente con autismo no tiene factor de discriminación. Esto es también verdad para algunas personas con TDA y TDAH. Su consciencia no es lineal de la forma en que lo es la nuestra, tienen consciencia esférica. Tienen prendidos sus receptores, captan 300 canales de televisión al mismo tiempo y no pueden discriminar entre un canal y otro. Y no hay control de volumen. Reciben toda la información sin parar y simultáneamente acceden a sus vidas pasadas y futuras. No hay un separador en la información que reciben.

Cuando reciben tanta información, no saben qué hacer con ella y, o se cierran, o se vuelven disfuncionales de alguna manera.

Dain:

Están intentando ordenar algo que realmente no tiene orden.

Anne:

Recientemente vi una película documental de Temple Grandin, una mujer extraordinaria, con autismo altamente funcional. En la película, Grandin describe la forma en que ella obtiene la información, conforme habla de una maestra de preparatoria que le pregunta de sus trabajos. Como si para mostrar lo que sucedía en la mente de Grandin, la pantalla explota con cientos de imágenes de zapatos de todo tipo y Grandin habla lo más rápido posible, intentando describir cada zapato que pasa por su mente, pasado, presente y futuro, todos juntos. Ella dice que buscaba patrones entre toda esa información e intentaba con tanto ahínco describirlo de formas que hicieran sentido a su maestra, lo cual era una tarea muy difícil.

Gary:

Desde ahí exactamente funcionan estos niños. Haces una pregunta, y ellos la captan desde un lugar totalmente diferente, y te quedas: "¿Cómo?". Pero si te mantienes ahí, con la comunicación, en algún momento regresarán, como la serpiente que se muerde la cola; de pronto todo lo que dicen se conecta con la pregunta que hiciste.

Estos niños no tienen la construcción de pasado, presente, futuro de la forma en que lo tenemos nosotros; no funcionan así. No piensan en las cosas en términos de día a día, lunes, martes, miércoles. Ese constructo no tiene sentido para ellos. Pienso que más bien es: "Voy a ver toda esta semana, toda la semana pasada y todas las otras semanas. Y ¿por qué les importa esto, chicos?".

Es mucho más cercano al punto de vista de los animales. El caballo no dice: "Bien, tengo que llevar a este estúpido jinete los próximos veinte años antes de salir a pastar". Solo dice: "Oh, ¿voy a hacer esto? ¿Voy a hacer aquello? Bien".

Creamos un significado basado en el tiempo, pero ellos no ven el significado del tiempo de la forma en que nosotros lo hacemos. Decimos cosas como: "Hemos estado juntos veinte años" o bien: "Esto sucedió hace 200 años". Ellos preguntan: "¿Por qué importa eso? ¿Por qué estás haciendo eso importante? No lo entiendo". Si vieras tu vida desde el punto de vista de que podemos vivir mil años, ¿Qué harías importante respecto a hoy? ¿Tal vez que saldremos de fiesta esta noche?

Es lo mismo con el dinero. Nuestro punto de vista es que los niños tienen que aprender a ponerse la ropa, salir al mundo, trabajar, ganar dinero. Ellos dicen ¿Qué? ¿Por qué? ¿Qué hay de importante en eso? ¿La cantidad de dinero que tienes hoy es importante basado en qué? Ellos no tienen esos conceptos.

Así, intentamos hacer las cosas lineales para ellos. Intentamos enseñarles a discriminar entre canales, que no es una característica o capacidad que ellos tengan. En vez de intentar obligarlos a hacer las cosas lineales, necesitamos darles herramientas que puedan usar para trabajar con su consciencia esférica.

Herramienta: ¿Esto es pasado, presente o futuro?

A estos chicos muchas veces les ayuda cuando les preguntas si algo es pasado, presente o futuro. Cuando alguien funciona desde la simultaneidad del tiempo, el espacio, las dimensiones y las realidades, todo es ahora. Lo que sucedió hace cuatro trillones de años es ahora. Ellos también están en el futuro, haciendo también el futuro. Si comienzas a ayudarles a delinear si algo es pasado, presente o futuro, pueden comenzar a crear algún orden en su universo.

Los niños que tienen las capacidades simultáneas de las que estamos hablando, pueden ver lo que va a suceder en el futuro y a muchos les atemoriza. Pueden ver las limitaciones que se crean día a día, porque su universo cambia momento a momento, cada diez segundos. Pueden ver que cuando haces esa elección, va a suceder esto.

¿Es esa una habilidad? Sí, es una habilidad. Si todos tuviéramos esa habilidad, ¿Habríamos cometido los errores que hemos cometido en este planeta? Si supieras que vas a estar en un accidente si pasas con tu automóvil por cierta calle, ¿irías por esa calle o tomarías otra? Estos niños pueden ver que ir por esa calle no va a funcionar, pero no pueden hacer que tú lo veas. ¿Puedes imaginarte la ansiedad y frustración que esto les genera?

De la misma forma, muchos de estos niños captan toda la pena en el mundo. La mayoría de la gente en el planeta funciona con tristeza, dolor e ira como si eso fuera la verdad de la vida y muchos de esos niños están abrumados por estos sentimientos. Los perciben intensamente porque no tienen reguladores en ellos.

Podemos decir: "Oh, esta tristeza no es mía. La capté de esta persona" o bien: "Estoy triste porque sucedió esto". Para ellos, la tristeza no está conectada a ningún evento, simplemente existe, y está en todos lados. Es dominante en su mundo.

La mayoría de los niños con autismo parecen vivir en su propio universo privado. Están tan abrumados con los aportes sensoriales, que responden a ellos creando un universo privado para vivir en él.

Nos enteramos de una niña que tuvo episodios psicóticos y construyó refugios antibombas dos días antes del 9/11. Ella estaba captando la información acerca de los ataques terroristas antes de que sucedieran. Ella terminó en el hospital, drogada. Esa es una dificultad, porque no puedes eliminar la consciencia de las personas con drogas. No funciona. Cuando no reconocemos las habilidades y capacidades de la gente, los agitamos más, no menos. Y no están incapacitados, son muy conscientes, de una manera distinta a la nuestra.

¿Has estado alguna vez con alguien quien está realmente molesto y no lo expresa? Puedes sentir toda esa energía. Es totalmente real para ti, pero cuando se los mencionas, pueden decir: "¿De qué hablas? No pasa nada". Tú sabes que hay algo mal, y que ellos lo están negando. Así es con los niños autistas. Ellos perciben todo, pero nadie reconoce lo que ellos perciben. Su mundo parece abusivo. Los golpean con palos y piedras. Es muy difícil e incómodo para ellos. Reconocer lo que sucede y preguntar: "¿Es esto pasado, presente o futuro?" comienza a desbloquear la situación para ellos.

10

Ser en la naturaleza, conectar con animales, jugar y explorar el mundo.

Los animales tienen magníficos regalos para darnos, si estamos dispuestos a recibirlos. Los caballos, en particular, quieren cuidarnos. ¿Te has dado cuenta de que, a veces, después de montar un caballo te sientes realmente expandido, gozoso y feliz? ¿Por qué ocurre eso? Porque has estado dispuesto a recibir de un caballo.

~Gary Douglas

Gary:

Hablé con un padre de familia que me preguntó: "¿Es posible que la razón por la que reaccionemos a los niños con TDA y otras condiciones como si estuvieran mal es porque estamos acostumbrados a las formas tradicionales de criar hijos, donde decimos: 'Siéntate y cállate'. 'Come lo que te digo'. 'Ve a la cama a tu hora'?".

Esta persona percibía que ha habido una evolución de la especie a través del tiempo que incluye una evolución en la consciencia de los niños. Está surgiendo una generación más consciente y activa; y la gente dice: "Hay algo mal con esta generación de niños. Debe haber algo que hacer, porque ya no funciona disciplinarlos". Este tipo de discusión lleva ya varios años.

Parte de lo que sucede es que la crianza de los niños ha tenido un giro 180 grados en los últimos tiempos. En varios aspectos, les hemos quitado su niñez a los niños. Los niños reciben tareas desde el jardín de infantes. Sus vidas están altamente organizadas y estrictamente programadas. Tienen poco tiempo para jugar de forma desestructurada, de estar en la naturaleza, o de explorar su mundo. ¿Cuándo puede un niño ser niño? Deberían ser capaces de salir y jugar y divertirse y correr.

Anne:

Los niños son tan conscientes de los beneficios del juego. Están demandando jugar y nos hacen saber lo tonto que es no hacerlo. El juego sirve para muchas funciones en el desarrollo de los niños. Es por medio de los juegos que se desarrollan el lenguaje verbal, las habilidades físicas, psicológicas, sociales y cognitivas e intelectuales. Jugar es la forma principal de comunicación para los niños pequeños, cuyas habilidades verbales no les permiten expresarse como nosotros. Es a través de su juego que comparten con nosotros su mundo interior. Hemos podido ver y sentir como es su mundo para ellos gracias a su invitación a jugar con ellos. Garry Landreth, uno de los primeros terapeutas infantiles que reconocieron el potencial curativo de incluir el juego en la sala de terapia, dijo: "Los juguetes son palabras y el juego es idioma".

Un pediatra me refirió a una niña de cuatro años y medio con trastorno de ansiedad por separación. Según su mamá, cuando era hora de ir a la escuela, la niña lloraba y chillaba y se aferraba a ella. La mamá estaba exhausta, igual que la hija y el personal de su programa preescolar. La niña solo asistía a la escuela cuatro medios días (en vez de cinco días completos) por semana, y mamá desesperaba. El personal de la escuela reportaba que la niña lloraba y chillaba una gran parte de las mañanas y que "se negaba a participar en actividades del salón de clases, se aislaba, hacía poco contacto visual y no respondía al personal ni a los otros niños".

En mis reuniones iniciales con la mamá, ella me describió todo lo que había intentado, así como todas las sugerencias que recibía del personal de la escuela y de sus parientes para asistir a su hija. Casi todo estaba basado en lo mal que estaba el comportamiento de la niña, y nada funcionaba. Entonces conocí a la niña.

Era una niña amable, de ojos brillantes, curiosa y más bien callada. Ella me invitó a jugar en un par de sesiones. No se parecía nada a quien me habían descrito. Le hice algunas preguntas mientras jugábamos con las muñecas y la casa de muñecas.

Yo: ¿Me puedes decir lo que no te gusta de la escuela?

La niña: ¡No hay juguetes!

Yo: ¡¿No hay juguetes?! (Asistía a un programa alternativo que sí incluía juguetes, pero no había juego libre. Se tenía que jugar con los juguetes de cierta forma, en cierto lugar y a cierta hora).

La niña: ¡No hay juguetes!

Yo: ¿Cómo es ir a una escuela sin juguetes?

La niña: ¡Nada divertido!

Yo: mmm....

¡Y eso era todo!

Diez días después, su mamá volvió a verme sola. Me dijo que el día después de nuestra sesión, su hija se levantó, se vistió y estaba ansiosa de ir a la escuela. Cuando llegaron a la escuela, le dijo adiós a su mamá sin lágrimas. En la tarde, le preguntó a su mamá si podía ir todo el día a la escuela, lo que empezó a hacer después de las siguientes vacaciones.

¿Y si tan solo el reconocer que es tonto no poder jugar en la escuela, de la forma en que jugábamos en la sala de terapia de juego era lo único que la niña requería para elegir una forma diferente de ser con la escuela?

Dain:

Los niños necesitan tiempo para explorar su mundo y ver cómo es. Ellos necesitan aprender todo lo que pueden aprender solos, no solo desde la perspectiva mental sino desde el punto de vista energético.

Anne:

Un estudio llevado a cabo por la Universidad de Illinois en 2011 descubrió que los niños diagnosticados con TDAH tienen síntomas menos severos si juegan al aire libre, en parques y espacios verdes y con césped diariamente, o al menos varias veces a la semana.

Gary:

Una amiga nuestra tiene una granja e invita a niños con autismo, TDA, TDAH y TOC a ir y pasar tiempo en la naturaleza con los animales. Dice que después de unos días de estar ahí, los niños se calman. Hay un sentido de paz que no obtienen en la ciudad.

En parte, eso es porque muchos de ellos escuchan los cables eléctricos zumbando en la ciudad. Son conscientes del zumbido de los cables eléctricos que hay por toda la ciudad. Los niños los captan, pero no tienen un punto de referencia respecto a lo que oyen, y no saben lo que pueden hacer al respecto. Cuando salen de la ciudad, cesa el zumbido.

Lo otro que contribuye a su sentido de paz es el contacto con los animales. Conocemos a una señora en los E.E.U.U. que ha estado trabajando con niños autistas y caballos y dijo que es asombroso lo frecuente que los niños que estaban fuera de control, los que gritan, chillan y patean, se calman cuando cabalgan. Dijo que tan pronto como se bajan del caballo, se acuestan en la tierra y se duermen una siesta. El caballo crea un sentido de calma en el niño porque capta su longitud de onda. Entiende telepáticamente lo que los niños intentan decir.

Hay muchos caballos con habilidades de sanación que cuidan de los niños. Crean una comunión con los niños de una forma muy dinámica. El caballo siempre sabe lo que el niño quiere. No necesariamente le gustan todos los niños, y no se acercará a aquellos que no le gustan, pero si hace una conexión con un niño, pueden tener una relación asombrosa.

El tipo de conexión y comunión también sucede entre los niños y otros animales. Para los perros, especialmente, es como tener un trabajo y muchos de ellos tienen habilidades de sanación fenomenales. Nuestra amiga Suzy, quien es una impresionante encantadora de perros, nos contó de un perro con quien trabajó. La dueña del perro era una mujer cuyo hijo tenía autismo. La mujer se sentía abrumada por cuidar a su hijo, y decidió que no podía lidiar tanto con el niño como con el perro, así que regaló al perro.

Cuando el perro llegó al nuevo hogar, comenzó a romper la alfombra. En ese momento, le llamaron a Suzy para comunicarse con él, y resultó que el perro sabía que era benéfico para el niño autista y quería volver con él, pero la antigua dueña no lo permitía. Es una pena, porque el perro claramente tenía habilidades y quería contribuir al niño.

Los animales son como las personas. Tienen diferentes habilidades. tener un animal en su vida es un regalo tremendo para todos los niños, especialmente aquellos con autismo. Los caballos son especialmente grandiosos porque se comunican telepáticamente. Están tan agradecidos cuando alguien recibe su comunicación que nutrirán a esa persona en una forma especial.

11

La zona

Estos niños no ven el mundo de la misma forma que nosotros. Nuestro error es que no lo vemos a través de sus ojos. Es nuestra equivocación, no la de ellos. Necesitamos ver lo que ellos ven en vez de hacerlos ver las cosas de nuestra manera.

~Gary Douglas

Gary:

Hace años, solía entrenar caballos y, después de comenzar a hacer Access Consciousness, empecé a buscar mejores formas de crear un sentido de comunión y conexión con los caballos con los que trabajaba. Mientras hacía eso, descubrí que cada caballo tiene una zona dentro de la cual todo es pacífico. En la zona, hay un sentido de comunión, conexión y saber. Cuando trabajaba con caballos descubrí que cuando creaba una zona que se asemejaba a la zona del caballo, había un lugar donde ambos podíamos conectarnos.

Dain dice que le ayuda pensar en la zona en términos de espacio.

Dain:

Este ejercicio puede permitirte tener más consciencia de lo que es la zona. Cierra tus ojos. Ve hacia afuera con tu consciencia y toca las ocho esquinas de la habitación en la que estás. Solo expande tu consciencia. Ahora expándela aun más, para que estés a diez kilómetros en todas direcciones. Ahora a cien. Ahora a quinientos. Ahora a mil.

Gary:

La mayoría de nosotros tiende a ir por ahí con muy poca consciencia del espacio a nuestro alrededor. A veces nuestro espacio es del tamaño de nuestro cerebro. Es importante darnos cuenta de esto, porque cuando trabajamos con los animales, necesitamos ajustar nuestro espacio a la cantidad de espacio con la que el animal está cómodo. Todos los animales tienen un sentido y un nivel de espacio donde se sienten cómodos y seguros. ¿Has tenido un perro o gato que amaba estar en la casa todo el tiempo y odiaba salir? La única área que estaba dispuesto a ocupar era la casa. O bien, ¿has tenido un animal que solo quería estar afuera? He tenido gatos que insistían en estar fuera. Veían el cielo y todo a su alrededor y verificaban todo. Cuando estás con un animal así, tienes que tener la misma cantidad de consciencia que éste para que esté en comunión y conexión contigo.

Tenía un semental en un rancho cerca de Santa Bárbara y, para cabalgarlo, mi espacio tenía que estar cerca de 29 kilómetros en todas direcciones. El trabajo de un semental es proteger al rebaño, así que, si vas a cabalgar uno, necesitas ocupar la misma cantidad de espacio que éste necesita ocupar para que se sienta a salvo y calmado. Si comprimo el espacio cuando cabalgo en mi semental, se pone frenético. Siente que está atrapado. Pero si extiendo mi consciencia lo suficiente, puedo cabalgarlo hacia un rebaño de otros caballos y camina como un capón. Está calmado y cómodo porque percibo todo lo que éste percibe y se siente a salvo.

En uno de nuestros talleres con animales, trabajamos con una perra que fue encontrada en un área salvaje de cachorra y que, después de vivir con personas durante muchos años, seguía siendo muy tímida. No confiaba en las personas y no se les acercaba. Si un extraño se le acercaba, comenzaba a temblar. Hicimos una serie de procesos de Access Consciousness con ella, pero no comenzó a relajarse de verdad hasta que pedí a su dueño que percibiera qué tan alejada estaba la zona de la perra y que expandiera su consciencia a todas las cosas de las que se daba cuenta la perra. La perra estaba poniendo atención a todos los olores, vistas, sonidos y energías a kilómetros a la redonda.

Trabajamos con el dueño de la perra hasta que tuvo la idea de expandirse al espacio de la perra en vez de contraer a la perra al espacio de él. Finalmente se expandió al espacio de la perra y, casi inmediatamente, la perra se mostró más calmada y sus ojos se suavizaron. Esa era la cantidad de espacio que necesitaba para lograr la zona de quietud y relajación y para conectarse más completamente con el mundo.

Le dije al dueño: "Es importante no pedir demasiado de una perra así. Pide un poco, y cuando la perra lo dé, pide un poco más, y te lo dará. En vez de intentar hacer que tu perra esté con gente, acepta lo que puede dar como amistad, agradécelo y recompénsala por ello, y reconoce continuamente su espacio y su zona. Mientras más hagas eso, será más amistosa y fácil.

La gente también tiene zona. Hay una zona que ocupa que es natural para ella. Este es el espacio en donde se tiene un sentido de calma y seguridad y donde existe la capacidad de conectarse.

Digamos que tienes un niño agobiado por toda la información que recibe. No tiene la habilidad de limitar la información que entra. Está captando todo lo que sucede, incluyendo todos los sentimientos, pensamientos y emociones de todos a su alrededor. Todo está ahí en su universo; no hay división entre lo que es correcto y lo que es incorrecto, lo que es bueno y lo que es malo, lo que es ahora y lo que es pasado, lo que es suyo y lo que no lo es.

Puedes crear la zona para él. Cuando creas una zona para algún niño, estableces un lugar donde pueden existir la conexión y la comunión, y comienzan a entender que pueden crear la zona para sí mismos.

Dain:

Inicialmente es algo que haces para ellos. Tomas su energía y la expandes en la zona. Con un niño muy pequeño, puedes decir: "Aquí tienes querido", y solo expande el espacio que ocupa.

Gary:

De pronto, verá a su alrededor y sabrás que lo has hecho.

También puedes crear la zona para niños cuando están en situaciones retadoras. Por ejemplo, hablé con un profesor acerca de un estudiante que se había puesto muy inquieto durante la asamblea escolar, rodeado de otros niños. Comenzó a hacer un montón de ruidos distractores.

Le dije: "Si puedes crea una zona para él, él comenzará a sentir su energía, y eso le dará más calma en su cuerpo. Solo tienes que expandir el espacio para que él no se contraiga bajo esas circunstancias. En algún momento, reconocerá que puede expandirse y no estar sobre estimulado".

Tienes que trabajar para crear un sentido de espacio para esos niños, porque cuando surge algo, se sienten muy impactados. Es como si alguien les estuviera pegando continuamente en la cabeza. Ellos dicen: "no puedo lidiar con esto". Y tratan de escaparse, excepto que no hay una manera real de escapar para alguien con tanta consciencia.

Sigue creando el espacio y ellos comenzarán a darse cuenta de que hay una forma de crearla para ellos también. Cuando ellos sientan que lo haces, preguntarán: "Oye, ¿qué es lo que mamá o papá acaban de hacer? ¿Qué es lo que acaba de hacer la maestra? Oh, yo puedo hacer eso".

Dain y yo hablamos con un padre cuyos hijos no podían soportar usar ropa durante periodos largos de tiempo. Los niños siempre querían desnudarse. Era como si estuvieran sobrecargados y confinados por la descarga sensorial que estaban recibiendo, incluyendo la sensación de la ropa que traían puesta, sin mencionar los pensamientos que estaban captando de la gente a su alrededor. Sugerimos que el padre expandiera la zona de los niños.

También ayuda cuando expandes tu propia zona. Cuando haces esto, los pensamientos, sentimientos y emociones que captas no te impactan de la misma forma, y esto calma y apacigua a tu niño.

Puedes crear ese espacio, esa zona en donde sienten: "Oh, tengo más espacio". Si comienzas a hacer esto, les ayuda tremendamente.

Anne:

Antes de conocer a Gary y a Dain, no me daba cuenta de que yo expandía la zona de los niños con los que trabajaba. No podía explicar claramente porqué los niños que odiaban a otros terapeutas podían conectar conmigo tan rápidamente y mejorar tanto. Sin embargo, ahora tiene perfecto sentido para mí.

Al yo crear la zona para los niños y para sus padres, les proveo de un espacio donde hay paz y calma. Ahí pueden relajarse. Son capaces de bajar la guardia y de analizar los elementos en sus vidas y en sus relaciones que los llevaron a consultarme en un principio. Crear la zona para ellos es una forma de dejarles ser sin juzgarles y de hacer preguntas para que se den cuenta de lo que están creando y de qué otras elecciones podrían hacer.

Una de las formas en que intento crear la zona para los niños es al recibirlos totalmente. Cuando los conozco por primera vez, es como si abriera todos los poros de mi cuerpo. Los veo y les digo: "¡Hola!". Parecería un simple saludo, pero es mucho más que eso. Es la energía de: "Estoy tan feliz de que se hayan cruzado nuestros caminos. Eres tan asombroso exactamente como eres. Lo que hagas o digas está bien para mí. Y te daré el espacio que requieras para tener lo que te gustaría tener. Eres bienvenido a acompañarme en mi espacio". Cuando hago esto, su respuesta, casi siempre, es relajarse, y muchas veces ellos me invitan entonces en su espacio.

Me han preguntado como trabajo con niños que no quieren estar en el consultorio de terapia de juego conmigo. Nunca forzó a los niños a entrar al consultorio si no lo desean. Lo que hago es expandir su zona y con raras excepciones, ellos siempre eligen entrar a mi consultorio. La zona es el lugar donde nos conectamos.

A veces la zona de un niño colapsa cuando él o ella se siente criticado, invalidado o "equivocado". Cuando esto ocurre, muchas veces les hago preguntas que les asistan a ver la verdad de sí mismos y esto les ayuda a los niños a expandir sus zonas.

Una brillante niña de diez años, altamente funcional y fácilmente agitable vino a verme recientemente después de un receso de tres años. Ella estaba haciendo berrinche contra mí y contra su mamá por estar de vuelta en mi oficina. Cuando le pregunté por qué había regresado, ella dijo: "Mi mamá piensa que hay algo mal con mi cerebro".

Le pregunté a la mamá si ella pensaba que había algo mal con el cerebro de su hija.

La mamá respondió: "No, ¡para nada!".

La niña me miró y sin usar palabras dijo: "¡No es verdad!".

Le pregunté: "¿Te gustaría saber lo que opino yo?".

Ella asintió.

Le dije: "no creo que haya nada malo en ti. De hecho, creo que eres una niña asombrosamente talentosa con capacidades que otra gente no tiene. ¿Puedo hacerte un par de preguntas?".

Ella asintió.

"¿Se mueve tu mente más rápido que las de los demás?".

Ella sintió.

"¿Sabes lo que los demás piensan y sienten, aun cuando no te lo digan con palabras?".

Ella asintió.

"Cuándo alguien dice o hace algo, ¿puedes saber cómo va a resultar, aún antes de que suceda?".

Ella asintió.

"¿A veces te frustras o te enojas cuando la gente no puede ir a tu ritmo?".

Ella asintió.

"¿Y si no hubiera nada malo contigo?" ¿Y si pudieras aprender algunas herramientas que te permitieran ser vista y escuchada más fácilmente y tener todo lo que te gustaría en la vida? "

Su cuerpo cobró vida, comenzó a sonreír, entonces intentó detenerse, pero no lo logró, antes de soltar una risita.

"¡Sí!" dijo su mamá: "¡eso es lo que estaba intentando decir! Solo no sabía cómo".

Los niños aman que les den permiso de estar en su zona. Cuando sienten que tienen permiso, están dispuestos a aprender las herramientas que pueden usar para ser vistos o escuchados y para poder avanzar en el mundo exterior con mayor facilidad y paz. Le pregunté si podía "mantener el espacio de quién es y de dónde esta", y entonces, mientras sostenía ese espacio y se mantenía en su zona, si podía entrar en los mundos de otros para darle a cada uno lo que requiere.

Gary:

Todos podemos funcionar así todo el tiempo. En vez de eso, solemos contraer nuestra vida en un pequeño espacio, como si eso fuera realmente todo lo que nos preocupara. Cuando hacemos eso, creamos nuestro espacio de preocupación. Pero ¿y el espacio de consciencia? Si funcionáramos con un punto de vista expansivo, un punto de vista de consciencia, no tendríamos problemas. Ese es, definitivamente, el espacio desde donde queremos funcionar.

12

Cuando parece que los niños están alejados

Por el autismo, pensaba constantemente en lo que veía con tanto detalle, que parecía que no pensaba en lo absoluto.

~Niño de 12 años con autismo

Anne:

A veces, los niños se abstraen tanto en lo que están haciendo que parece que desaparecen. Usamos frases como "está en las nubes" o "absorto en su propio mundo" para describirlos.

Cuando los padres intentan llamar su atención, a veces contestan solo con silencio. Para algunos, parecería como si sus hijos ni siquiera los escuchan. Es fácil ver esto como una señal de falta de respeto, oposición o reto. ¿Y si no lo fuera? ¿Y si los niños están tan concentrados en lo que están haciendo que ni siquiera registran la voz de sus padres? Muchos niños solo necesitan algo de tiempo para desconectarse de aquello en lo que están ocupados, especialmente si es divertido, antes de poder moverse a algo que no sea tan divertido, como ir a la escuela o venir a la mesa para cenar. Si demandamos impacientemente que dejen de estar donde están y regresen a esta realidad ahora, las cosas usualmente no funcionan tan bien. No desean dejar lo que hacen tan rápido y entonces se resisten con fuerza, intentan bloquearnos o explotan. Y entonces nos enojamos.

¿Y si la demanda pudiera convertirse en una invitación o en una solicitud? ¿Y si la solicitud pudiera ser presentada de una forma más fácil para ti, para tu niño y para todos los involucrados? ¿Y si pudieras acercarte a él de forma calmada y respetuosa, para que te pueda oír?

A veces puedes captar la atención de un niño simplemente diciendo: "¡Hola!" Sin embargo, si estás con prisa, es muy posible que tu niño se mantenga donde está. Al tú estar presente con él, y ponerte en su frecuencia, las posibilidades de que esté dispuesto a escucharte son mucho mayores.

Los padres de un niño en el espectro autista de siete años quien recibe el servicio por parte de su escuela pública me describieron como amaba estar solo y jugar con Legos durante horas. Todos los demás en su familia: sus padres y sus tres hermanos son extrovertidos. Aman ir a comer a los restaurantes, al cine, y viajar a lugares nuevos y a ninguno le gusta lo que a él. Su mamá me dijo que él "arruinaba" las salidas familiares porque hacía tales berrinches para salir que nadie quería estar con él.

Un día, sus padres me preguntaron al respecto en una reunión con ellos solos. El punto de vista de la mamá era que su hijo necesitaba actuar más como el resto de la familia y dejar de ser tan diferente. Estaba enojada con él por "controlar" a todos. Ella solía confrontarlo, lo que invariablemente se convertía en berrinches, lágrimas y desesperación. El papá era más relajado respecto al niño. El tendía a ser más paciente y a tener una visión más amable respecto al comportamiento del niño, aunque reconocía que también le frustraban los frecuentes conflictos.

El papá me dijo que la noche anterior, cuando salieron a cenar, su hijo los acompañó sin incidente alguno. Él le preguntó a la mamá si se había dado cuenta. Ella dijo: "sí, pero no pasa muy seguido".

Les pregunté qué es lo que había sido distinto. El papá dijo que veinte minutos antes de salir de casa, encontró a su hijo jugando con sus Legos en el sótano y se había sentado junto a él. Me dijo: "estuvimos un rato juntos, y después de un rato, le recordé que pronto saldríamos a comer. Él siguió jugando. Me mostró lo que estaba haciendo y me quedé ahí con él. De vez en cuando le recordaba que nos iríamos. Entonces, cuando era momento de irse, dijo que preferiría quedarse en casa, pero se puso los zapatos y vino de todas formas".

La mamá lo miró, hizo una pausa y dijo: "¡No tengo tanto tiempo!" a lo que el papá respondió: "¿pero sí tienes tiempo para berrinches de tres horas?".

Uno de los principios básicos en mi trabajo con niños y familias a través de los años es que el comportamiento es una forma de comunicación. Pregunto a los padres: "¿Qué te está diciendo tu niño cuando hace una rabieta?". ¿Cuándo llora inconsolablemente? ¿Cuándo no quiere dejar la casa? ¿Cuándo desaparece en su propio mundo?".

¿Qué funcionaba del método del padre? Mi punto de vista es que, al estar en silencio con el niño, al reconocer sus intereses y su preferencia por quedarse en casa, sin intentar convencerlo de otra cosa o de sugerir que estaba mal, el papá se conectaba energéticamente con su hijo. Se convertía en la invitación a que el niño acompañara al resto de la familia en su salida. ¿Y si eso fuera todo lo que se requiere para que tener una velada pacífica juntos?

Los niños pueden estar tan absortos en sus actividades que en lugar de leer el libro, ver la película o jugar el juego es casi como si estuvieran dentro del libro o se convirtieran en el libro, en el juego, en la película. Gary sugiere hacerles las siguientes preguntas a los niños y yo las considero muy efectivas para los niños se encuentren conmigo. Sin embargo, estas preguntas, deben ser hechas de forma amistosa y no acusatoria:

- ¿Dónde estás?
- ¿Acabas de desaparecer?
- ¿Te das cuenta de que puedes quedarte afuera del libro y aún así darte cuenta de todo lo que sucede en el libro?

Herramienta: Expandirse en todas direcciones

Cuando trabajo con niños, especialmente con aquellos que se enfocan mucho en lo que hacen y se resisten a estar con otros, los animo a mantener su concentración mientras ven, oyen y escuchan el aquí y el ahora, lo que expande su atención en todas direcciones. Cuando se expanden en todas direcciones, pueden darse cuenta de todo de lo que son conscientes y pueden funcionar con los profesores, padres y otros miembros de la familia de una forma que es fácil para ellos y para todos a su alrededor.

Aquí tienes una forma de enseñar esto a los niños, que aprendí de Dain y a la que he hecho aportaciones. (¡Es algo que tú también puedes hacer!).

Ponte cómodo, ya sea sentado o acostado. Cierra tus ojos.

Percibe tu ser y tu cuerpo. Tu ser es lo que no tiene fin. Algunas personas le llaman tu alma o tu espíritu. El Dr. Seuss dice que no hay nadie que sea "más tú que tú".

Entonces, percibe tu cuerpo. ¿Está tu cuerpo en tu ser, o tu ser en tu cuerpo? ¡tu cuerpo está en tu ser!

Ahora, hazte más grande que tu cuerpo…

Más grande que la habitación…

Expándete en todas direcciones, hacia arriba, hacia abajo, hacia la derecha, hacia la izquierda, hacia adelante, hacia atrás… más grande…

Más grande que tu ciudad…

Más grande que tu país…

Más grande que tu planeta…

¡Más grande! ...

Más grande que de aquí a la Luna…

Más grande que de aquí a Júpiter…

Hasta los confines del Universo…

Desde ahí… desde ese espacio, ¿hay algo que te moleste? ¿Puedes siquiera ver una molestia?

Si haces este ejercicio con tus hijos, serán capaces de hacerlo por sí mismos, sin importar donde estén. Desde ese espacio, serán capaces de dar lo que requieren a sus maestros, a sus padres, a otros niños o a sus entrenadores a cada momento, sin perderse a sí mismos.

De nuevo, es simple. Pídeles que se expandan y estén presentes. Ellos aprenderán a hacerlo muy pronto y verán inmediatamente cuánto mas fácil puede ser la vida.

¡Atención!

Si enseñas estas herramientas a tus hijos, van a usarlas contigo.

Una madre me dijo que una vez estaba con sus hijas de seis y nueve años en el automóvil por la autopista.

Mamá: ¡Oh, tengo tanto dolor de cabeza!

Niña de nueve años: Mamá, ¿a quién pertenece eso?

Mamá (riendo, porque su dolor de cabeza disminuyó instantáneamente): oh ¡a mí no! ¡Gracias!

Niña de seis años: Mamá, ¿quieres que te ayude a expandirte?

Mamá: ¡Claro!

Niña de seis años: Ok, mamá, cierra tus ojos.

Niña de nueve años: Mala idea. Está manejando.

Niña de seis años: Ok, mamá, mantén tus ojos abiertos y hazte más grande que el auto… más grande que la autopista…

¿Cómo puede mejorar esto?

"Expandirse" es una de mis herramientas favoritas de Access Consciousness, y la uso frecuentemente. Crea instantáneamente un espacio en mi cuerpo que me permite responder y actuar de forma diferente y mucho más amable ¡para mí y para todos a mi alrededor!

Herramienta: ¿Quién estás siendo? ¿Dónde estás?

Mi amiga Trina es una terapeuta ocupacional en el sistema de educación pública. Ella dice que usa frecuentemente algunas variaciones de la herramienta de expandirse. Un día estaba trabajando con una niña de cinco años que había sido diagnosticada con autismo y otros trastornos. La niña hacía poco o nada de contacto visual. Es una niña que suele golpear su cabeza contra el piso, llora, grita y hace berrinches ruidosos y dramáticos.

En esas ocasiones, Trina dice el nombre de la niña y le pregunta: "¿Quién estás siendo?" A veces Trina debe repetir varias veces tanto su nombre como la pregunta. Trina es gentil y calmada, por lo que hace esto sin confrontar. Cuando hace esto, la niña normalmente se calma y entonces Trina pregunta: "¿Dónde estás?" En ese punto, Trina dice que la niña se calma aún más y hace contacto visual con ella. Trina entonces le pregunta: "Y si pudieras mantenerte aquí y vinieras a jugar conmigo? Cuando hace esto, la niña mantiene contacto visual y es capaz de estar presente y jugar con ella.

Mi capacitación inicial consideraba que mantenerse alejado era una señal de falta de respecto. Yo sabía que no era eso; solo no sabía lo que sí era. Estoy tan agradecida de tener estas herramientas para usar y compartir. Te animamos a que juegues con estas herramientas. Diviértete con ellas. Y déjanos saber lo que tú y tus hijos son capaces de crear juntos.

13

¿Y si el TDA y TDAH fueran realmente dones?

La gente con TDA y TDAH son los mas los más grandes hacedores de tareas múltiples del universo.

Dr. Dain Heer.

Gary:

En los últimos años, un gran número de niños han sido diagnosticados con TDA y TDAH, y los doctores frecuentemente les indican fármacos como Ritalin para hacerlos más lentos. Desde mi experiencia, esto es un gran error. Mi hija mayor tenía TDA y deseaban que usara Ritalin, por lo que comencé a investigar para saber más de los efectos a largo plazo.

El Ritalin es un estimulante del sistema nervioso y actúa diferente en los diferentes niños. Hace impulsivos a algunos niños, lo cual puede explicar el comportamiento criminal de un porcentaje notablemente alto de chicos (y un menor porcentaje de chicas) que lo usan. En algunos estados, la pregunta: "¿usas Ritalin?" forma parte de los reportes juveniles de rutina. Para otros niños, el Ritalin abruma a su sistema nervioso y los convierte en zombis amables y bien portados.

Anne:

La madre de un niño, que ahora tiene veinte años, me dijo que fue diagnosticado con TDAH cuando era niño. Ella me dijo: "luché contra una multitud de doctores para mantenerlo lejos del Ritalin y de una dieta baja en azúcar. Sólo sabía que era diferente y mucho más consciente que otros niños. Hoy está por entrar a la London School of Economics para comenzar su maestría en temas que no son muy comunes. Además, escribe música, libretos para películas e historias cortas, y es un ser maravilloso, cálido y consciente".

Puede valer la pena preguntar si tu hijo requiere tomar medicinas o si existen otras posibilidades.

Gary:

Personalmente, no creo que ninguna droga sea realmente buena para el cuerpo. Creo que tu cuerpo tiene la habilidad de ajustarse solo, si estás dispuesto y lo permites, así que intenté descubrir cómo podía lidiar con lo que llamaban la "incapacidad para concentrarse" de mi hija. Cuando comencé a trabajar con ella, descubrí rápidamente que cuando tenía la televisión y la radio encendidas al mismo tiempo podía hacer toda su tarea en unos veinte minutos. ¿Por qué era eso? Porque pueden recibir información mediante niveles de estímulos sensoriales muy superiores a los que la mayoría de nosotros tenemos.

Los niños que tienen TDA o TDAH intentan poner su atención en una cosa y antes de siquiera lograr que su atención se fije, ya desplazaron su atención a otro sitio. Y para cuando están enfocados en la segunda cosa, han movido su atención a otro lado. Tal vez regresaron a lo primero, tal vez no.

Puedes evitar la frustración de intentar hacer que se enfoque en una cosa si te das cuenta de que necesita un mayor grado de estímulos sensoriales que las personas promedio, y le permites tener los estímulos que requiere para estar cómodo.

Los padres no siempre están cómodos dejando que sus hijos hagan esto. Creen que los niños solo son capaces de hacer una cosa por vez, pero esto, claramente, no es así. Una madre me preguntó: "¿Qué hacer cuando tienes un hijo que tiene la habilidad de hacer su tarea con la televisión y el radio prendidos pero que tiene un padre que insiste que no puede hacer más de una cosa a la vez?".

Le pregunté: "¿Eres tú ese padre?".

Ella dijo: "No, soy el otro".

Le dije: "Dile al otro padre: "Oye, hablé con un tipo raro el otro día y tiene una idea para hacer algo con nuestro hijo. ¿Quieres intentarlo?".

La madre dijo: "Él dirá: 'como la palabra clave es raro, no'. ¿No hay algo que pueda decirle que le haga dejar de tener un punto de vista fijo?".

Le dije "en ese caso, cada vez que diga: 'No, eso no funcionará' o bien: 'No, no quiero que nuestro hijo haga eso' puedes decir (en tu cabeza): 'Todo lo que él acaba de decir, lo destruyo y lo descreo', lo que puede ayudar a deshacer la energía sólida de su rechazo de probar algo nuevo".

Entonces dije: "Tal vez puedes hacer que tu hijo haga su tarea antes de que vuelva su padre, si le dices: 'Si haces la tarea llegando de la escuela, te dejaré ver la televisión y escuchar el radio mientras la haces'".

Dain:

La gente con TDA y TDAH son los más grandes hacedores de tareas múltiples en el universo. Pueden escuchar la radio, ver televisión y captar la conversación a su alrededor mientras hacen su tarea. Ellos dicen: "Oh, ¡finalmente tengo suficiente que hacer!". Siempre buscan más estímulo sensorial.

Gary:

Quieren más y más y más que hacer, por lo que se les considera molestos en la escuela. Van de una cosa a la otra. Viven en el: "oye, ¿qué haces?". Quieren estar involucrados en todo. Su punto de vista es: "¿qué más puedo agregar a mi vida? ¿Qué más puedo hacer? ¿Qué más puedo hacer?". Los niños con esta habilidad tienen una gran necesidad de hacer muchas cosas.

Son más dichosos y productivos cuando tienen más que hacer de lo que siquiera pueden lograr.

Anne:

Como hacedora de tareas múltiples de gran magnitud, uno de los mayores regalos que he recibido de Gary y Dain fue darme cuenta de que está bien hacer más de una cosa a la vez. Mis boletas de grado en la escuela decían cosas como: "No llega a su potencial" y "No completa su trabajo a tiempo". Yo pensaba que había algo mal conmigo porque las maestras decían que no podía prestar atención, ni enfocarme, concentrarme o terminar cosas. Recuerdo que uno de mis hermanos me dijo que él y su mujer solían cruzar apuestas de cuánto tiempo iba a mantenerme sentada cuando subía a estudiar. Nunca pasaba mucho tiempo antes de que me levantara para buscar algo, fuera por agua, prendiera la radio, llamara a alguna amiga o leyera una revista.

Hoy funciono mejor cuando estoy en varios proyectos al mismo tiempo. ¿Cómo sé cuál tomar? Hago preguntas. Siempre es una pregunta simple, como: ¿Qué debería estar haciendo? ¿Con quién debería estar hablando? ¿Qué proyecto requiere de mi atención ahora? Cuando hago estas preguntas, siempre parece que sé qué hacer en seguida. Ya no funciono desde el espacio de sentirme mal por no terminar algo antes de comenzar lo siguiente. Escribo, creo clases, lavo ropa, trabajo en el jardín, hago sopa y hablo por teléfono, y de alguna forma, termino todo. Para mí, esto es una forma gozosa y productiva de operar. Y cuando solo tengo una cosa que hacer, me toma siglos terminarla.

Jake

Una amiga mía que es consultora de una escuela primaria me contó una experiencia que tuvo con un niño con TDAH.

La enviaron a una escuela a trabajar con algunos estudiantes. La primera persona con quien deseaba trabajar era un niño llamado Jake. Le dijeron: "¡Es tan hiperactivo! Espera que lo veas. Es hiper-hiper-hiper". Mi amiga dijo: "es como si cada vez que decían 'Jake' lo estaban nombrando el ícono del TDAH".

Fue al salón de clase de Jake y se presentó con su maestra, la señorita Smith. Conforme hablaba con la señorita Smith, Jake estaba de pie junto a la señorita Smith, moviendo sus manos, tocándole en el hombro y diciendo: "señorita Smith, señorita Smith, señorita Smith".

Cada vez que decía su nombre, la señorita Smith le decía: "En un minuto, Jake; en un minuto Jake". Mi amiga vio como aumentaba la frustración de la señorita Smith mientras ambas intentaban continuar con su conversación. Ella podía ver que la señorita Smith estaba a punto de llegar a su límite y Jake iba a ser regañado, por lo que volteó y le dijo "Oye, Jake".

Él dijo: "¿Sí?"

Ella dijo: "¿Sabes como puedes escuchar a veinticinco personas al mismo tiempo?"

Él dijo: "Ajá".

Ella dijo: "¿Qué crees? La señorita Smith no puede hacer eso; ella solo puede escuchar a una persona a la vez. ¿Crees que puedas honrar eso, y saber que no estás mal ni la señorita Smith tampoco?".

Jake dijo: "Claro" y dejó de hacerlo.

Mi amiga sabía que, según Jake, él no estaba interrumpiéndolas. Él podía hacer un millón de cosas a la vez y no se daba cuenta de que otras personas podían no tener la habilidad de operar de esa forma también. Mi amiga, al reconocer la habilidad de Jake de escuchar a muchas personas al mismo tiempo y no regañarlo por su incapacidad de mantenerse callado y esperar, le permitió saber lo que se necesitaba en esta circunstancia sin regañarlo o hacerlo sentir diferente, incapacitado o equivocado. De hecho, le dijo que era un niño bastante genial, y que solo requería esperar a que ella y la señorita Smith terminaran su conversación, porque la señorita Smith no funcionaba como él lo hacía.

14

Estar con niños con TDA y TDAH

Cuando das el paso hacia algo distinto, abres el espacio para que eso exista, donde antes no había espacio para que eso existiera.

~Dr. Dain Heer

Anne:

En el capítulo anterior, hablamos de TDA y TDAH como dones y ciertamente pueden serlo. También reconocemos que el TDA Y TDAH pueden ser un reto tanto para los niños, como para los padres y los maestros, ya que los niños con TDA y TDAH pueden parecer impulsivos o frenéticos y algunos tienen la tendencia a explotar. Es fácil frustrarse con ellos. Algunas veces parecen tan dispersos, distraídos y poco enfocados. Los padres y los maestros quieren que pongan atención a algo, que completen una tarea o se sienten en silencio y en cambio, su atención está dispersa. Ellos quieren estar involucrados en todo. ¡Puede ser completamente exasperante!

Una amiga, que es parte del personal de educación especial de una escuela primaria me contó la siguiente historia respecto a un niño a quien ella atendía llamaba Joey, que había sido diagnosticado con TDAH. Es una de mis historias favoritas ya que ilustra el don de la consciencia que incluyen el TDA y TDAH, así como los retos que enfrentan los padres y los maestros cuando lidian con niños cuya atención se dirige hacia tantas direcciones.

Como habían pedido a mi amiga que evaluara a Joey, ambos fueron a un lugar silencioso en el campus escolar y se sentaron juntos mientras ella recolectaba información para su evaluación. Ella se daba cuenta de que él la estaba escuchando y estaba dispuesto a participar en las tareas que se requerían. Sin embargo, a pesar de su disposición a vincularse con ella, él volteaba frecuentemente la cabeza para ver algo o sus ojos se movían de un lado al otro.

En un salón de clases, eso hubiera sido interpretado como distracción o falta de atención. La maestra podría haber concluido: "Oh, él no me está escuchando". Sin embargo, mi amiga sabía que eso no era falta de atención. Ella podía ver que él se daba cuenta de una energía que le atraía.

Ella le preguntó: "Oye, ¿qué pasa? ¿Qué es eso?" a lo que él respondió: "Oh, son niños caminando". Cuando dijo eso, ella se dio cuenta de los niños caminando por el pasillo del otro lado del campus. No mucha gente lo habría escuchado, y ella reconoció su percepción. Ella sabía que, si le decía que él estaba distraído y no poniendo atención, lo hubiera invalidado tanto a él como a su consciencia.

Ellos continuaron con la evaluación, y un par de minutos después, ella vio que su atención se apartaba de nuevo. Le preguntó: "¿qué es eso?" Él dijo: "niños hablando". Ella dijo: "bien" y prestó atención. Por supuesto, del otro lado del patio, había niños hablando.

Un ratito después, sus ojos voltearon al cielo. Ella preguntó: "¿qué sucede?".

El contestó: "un avión". Ella pensó: "oh, qué interesante, no hay ningún avión", un minuto más tarde, ella escuchó el avión. Él se dio cuenta del avión antes de que fuera audible o visible para ella. Él había percibido la energía del avión acercándose.

¿Y si la frustración y la exasperación que puedes experimentar con el TDA o TDAH de tu hijo no dominara su relación? ¿Y si no tiene que definir su relación? ¿Y si existiera una forma de reconocer y apreciar las habilidades de tu hijo, aún con su comportamiento disperso y desenfocado?

Y ¿qué tal si hubiera cosas que puedes hacer que verdaderamente pueden asistirte con el TDA o TDAH?

TDA y TDAH, ¿Cuál es la diferencia?

Antes de 1994, la única diferencia entre TDA y TDAH era la "H" de hiperactividad. TDA o trastorno de déficit de atención describía los síntomas relacionados con la falta de atención; TDAH, o trastorno de déficit de atención con hiperactividad describía también esos síntomas, agregándoles hiperactividad e impulsividad. Entonces, en 1994, el TDA fue eliminado como diagnóstico por la comunidad médica, y el TDAH fue dividido en tres subcategorías: 1) predominantemente falto de atención (el viejo TDA); 2) predominantemente hiperactivo y / o impulsivo; y 3) el tipo combinado. A pesar de que hubo un cambio oficial, hoy en día, mucha gente aún se refiere a TDA para describir falta de atención.

Implantes

Una de las cosas que Gary y Dain han descubierto es que los implantes son responsables de muchas de las dificultades conectadas con el TDA y TDAH.

El concepto de implantes dentales o implantes de pecho, donde se implantan sustancias en el cuerpo físico es muy conocido. Aquí no hablamos de ese tipo de implantes, estamos hablando de implantes energéticos. Por ejemplo, cuando se repite una canción una y otra vez en tu cabeza, es un implante. Cuando un padre, un maestro, o un amigo te dice que algo es verdad cuando realmente no lo es, y tú lo crees o lo repites, eso es un implante. Algo que haces por hábito, como torcer tu cabello, es un implante. Ahí no hay consciencia. La canción, la afirmación falsa o el hábito han sido implantados en tu universo y se mantienen repitiéndose una y otra vez.

A veces los implantes también incluyen pensamientos, sentimientos y emociones que han sido insertados en tu universo. Por ejemplo, si cuando eras niño, uno de tus padres te repetía que eras estúpido y te etiquetaron con una incapacidad de aprendizaje, creerías que es verdad. El juicio de: "eres estúpido" se convierte en un implante en tu universo.

Tengo un amigo brillante que tiene cuarenta años. Él ha creado un negocio multimillonario en dólares que se encuentra a la vanguardia de su sector. Él me confió recientemente que pasó sus años de educación secundaria en los salones de educación especial porque había sido "marcado" con discapacidad de aprendizaje. Su respuesta fue rebelarse contra la vergüenza y degradación a la que le sujetaban y ¡les hizo sudar la gota gorda a sus padres y a sus maestros! Le dijeron que nunca sería aceptado en la universidad porque era lento y malo para aprender. No era cierto. Como lo dije antes, es brillante. ¿Es diferente? ¡Sí! ¿Piensa como los demás? ¡No!

Como muchos niños X-Men, lamentablemente no tenía herramientas para lidiar con la locura que había en su vida, y pasó muchos años bebiendo, intentando desensibilizar su consciencia, lo que legitimaba el juicio de ser estúpido y tonto y de que la gente en su vida nunca podría ver su brillantez y entonces no podía reconocer la verdad. Mi amigo ya no toma y, a pesar de su éxito en los negocios, sigue luchando contra los demonios de ser estúpido y de no ser lo suficientemente bueno. Lamentablemente, muchos X-Men usan las enfermedades mentales y las adicciones para lidiar con el hecho de que nadie entiende quienes son, de que nadie los reconoce y eso les hacen sentir equivocados y juzgados.

Gary:

Un implante crea un tipo particular de vibración en nosotros; se convierte en algo que nos impacta y nos contiene. Tiene influencia sobre nosotros en nuestra vida. Los implantes energéticos relacionados con el TDA y el TDAH son más potentes y abrumadores que los ejemplos anteriores y, en su mayor parte, sucedieron antes de esta vida. Los implantes conectados con el TDA y TDAH mantienen a los niños en el modo frenético de esta realidad. No son capaces de estar calmados, serenos y tranquilos cuando desean estarlo. Así, pueden ser extremadamente activos físicamente, como si tuvieran un motor, o pueden estar tan inundados con datos e información que no pueden concentrarse mucho. También pueden tener la mecha corta, como dijo Anne, y tienden a explotar fácilmente.

Hemos visto que se pueden remover o deshacer esos implantes usando un proceso de Access Consciousness que puede ser realizado por los facilitadores de Access Consciousness. Trabajé con un niño de ocho años con TDA mientras miraba la televisión. El sintió como accedía a él (sin tocar su cuerpo) y se volteo a preguntar: "¿Qué estás haciendo?".

Le dije: "Solo limpiando algunas cosas que hacen tu vida difícil".

Él dijo: "Oh", y siguió viendo la televisión. Él podía sentirme cada vez que lo tocaba y procesaba otro grupo de implantes. En algunos minutos, había procesado todos los implantes.

Al día siguiente, su madre me llamó histérica: "¡Regrésalo a como era! Él llevaba todo el día fuera, cortando una caja de refrigerador para hacer una casa. Me gustaba más que estuviera colgado de mi falda llamando mi atención. Él era mi bebé. ¡Me has quitado a mi bebé!".

Le dije: "Qué pena querida, no puedo hacer eso. No puedo regresarlo a donde estaba. Cuando se van, se van. Más te vale acostumbrarte a él de la forma en que es".

Asumir la energía de los demás

Estos niños tienen mucha consciencia psíquica, así que además de los implantes, mucho de la llamada hiperactividad que exhiben tiene que ver con que admiten la energía de todo el mundo además de la suya y, en una situación calmada, pueden ser diferentes. Los niños con TDAH tienen la propensión a captar la angustia y la preocupación de la gente a su alrededor. Probablemente tengan un padre o padrastro que es preocupón, por lo que tienen la tendencia de percibir esta angustia y preocuparse dinámicamente.

Anne:

Tuve hace poco una sesión con un niño de 7 años y su padre. La mujer de su padre, la madrastra del niño los había abandonado recientemente. Desde entonces, el niño había estado haciendo berrinches tanto en la escuela como en casa. En la sesión, no podía quedarse quieto. Estaba en constante movimiento, sentándose boca abajo en la silla, con su cabeza cerca del suelo y sus pies en el aire repetidamente. Su padre comenzó a regañarlo, diciendo: "Petey, necesitas sentarte bien y escuchar".

Yo le dije rápidamente: "De hecho, él está escuchando y participando en nuestra conversación, y está bien si no se sienta quieto".

Mucha gente puede pensar que el no sentarse quieto y enfocarse para prestar atención es una señal de falta de respeto. Lo que yo vi fue que Petey afrontaba lo mejor que podía el tema de nuestra conversación, que a todas luces era difícil tanto para el niño como para su padre. Hablábamos de su relación y de cómo había sido su vida desde que se había ido la madrastra del niño y era una conversación que no habían podido tener antes.

Conforme hablaban de los cambios que habían ocurrido en su familia, su papá se fue calmando, y conforme lo hacía, Petey también se tranquilizaba. Seguía moviéndose, pero estaba mucho más calmado. Si me hubiera enfocado en su comportamiento, nada de eso hubiera sido posible. El papá hubiera estado cada vez más molesto por no ser capaz de controlar a su hijo y Petey se hubiera puesto cada vez más hiperactivo.

Desde mi punto de vista, el hecho de que el papá reconociera los cambios que estaban sucediendo en sus vidas fue un factor clave para poder moverse a un espacio completamente diferente. El reconocer es mágico. Valida nuestra consciencia.

También hay una serie de herramientas que damos a través del libro que pueden ser salvavidas cuando los niños captan la energía, la preocupación, las emociones, los pensamientos y sentimientos de otras personas. Entre mis favoritas están:

- ¿De quién es esta percepción?
- ¿A quién pertenece esto?
- Devolver al remitente.
- ¿Por quién estás haciendo esto?

Actividad física

Además de fomentar que los padres permitan a sus hijos hacer varias cosas al mismo tiempo de hacer su tarea y que usen las herramientas y procesos de Access Consciousness, también enfatizo la importancia de la actividad física, ya sea en el salón de clases, durante el receso, o después de clases. Ayuda a todos los niños a liberar su energía y sentarse calmadamente en el salón de clases durante periodos más largos de tiempo y hace una diferencia enorme para aquellos con TDA o TDAH.

Dain:

Mover el cuerpo, aun cuando tan solo sea dar unas cuantas vueltas a la manzana. Yo salgo a trotar, o voy a nadar, o hago lagartijas, o me acuesto sobre un rollo diseñado para eso y lo paso por todos mis músculos y cuando me levanto me siento mucho mejor.

Anne:

Los padres de un muy brillante niño de seis años que está en la parte leve o moderada del espectro autista y quien ha sido diagnosticado con TDAH compraron un trampolín y lo colocaron en su patio trasero. Me reportan que el jugar regularmente en el trampolín ha hecho una diferencia enorme en el comportamiento de su hijo. Cuando juega regularmente en el trampolín tiene menos "arranques".

La madre de una niña de siete años con TDA reporta una mejora similar de los síntomas cuando la niña nada regularmente. ¡Ella ama estar en el agua! Está en el equipo de nado y es una de las mejores nadadoras. Antes de comenzar a nadar, la niña tenía frecuentes rabietas, peleaba mucho en la escuela, no podía prestar atención y en general era miserable. Desde que descubrió el nado, puede lidiar mejor con los altibajos de la vida diaria, hace su tarea con relativa facilidad y tiene mucha más confianza en sí misma. Ella me dijo: "a mi cuerpo le gusta nadar".

Los niños con TDA o TDAH están mucho mejor cuando son capaces de jugar en el exterior, pasar tiempo con animales y correr y jugar. Es expansivo para ellos. Sus cuerpos lo aman. No les va bien cuando los tienen encerrados en espacios pequeños. ¡Necesitan que se les dé permiso de estar moviéndose!

Preguntas para hacerte a ti mismo:

Y aquí tienes algunas preguntas para ti como padre:

- ¿Juegas con tu hijo?
- ¿Amas ver a tu hijo hacer lo que ama hacer?
- ¿Te diviertes con tu hijo?
- Si no, ¿te gustaría?
- ¿Y si pudieras jugar con ella o él?
- ¿Cómo sería si dieras un paso más allá del lugar donde tu hijo es un problema, y llegaras al espacio donde celebres la diferencia que es y disfruten de su tiempo juntos?
- ¿Qué tomaría?
- ¿Y si no necesitas saber antes de tiempo cómo va a resultar eso?

Si no has estado jugando mucho con tu hijo, ¿qué hacer? ¿Y si tan solo comienzas desde donde estas ahora? ¡Mantente presente! ¡Sé tú! Tal vez le digas a tu hijo:

"¡Amo verte nadar!"

"¿Me dejas verte hacer eso de nuevo?"

"Puedo jugar contigo?"

15

Evitar rabietas

Si el comportamiento es una forma de comunicación, ¿qué están diciendo los niños cuando se portan mal, hacen una rabieta o lloran sin control?

~Anne Maxwell

Anne:

Los niños se pueden molestar y hacer rabietas por muchas razones, pero cuando surge un drama, muchos padres intentan calmar al niño, distraerlo, hacer que "salga de ahí" o emplear otra táctica para eliminar el problema en vez de mantenerse ahí y hacer preguntas respecto de lo que sucede en el mundo del niño.

Como lo dije en el capítulo once, uno de los principios subyacentes de mi práctica es que el comportamiento es una forma de comunicación, así que, cada vez que escucho que un niño hace berrinches, las primeras preguntas que hago son:

- ¿Qué está diciendo este niño?
- ¿Qué nos está haciendo saber?

Estas preguntas, hechas con curiosidad, apertura y sin punto de vista dan mucha información respecto a lo que están comunicando con la rabieta o el disgusto. Cuando hago esas preguntas obtengo una idea de lo que está sucediendo en el universo del niño. Hacer estas preguntas me lleva más allá del lugar de "correcto" o "equivocado" hacia un espacio de posibilidades. Me mueve más allá de una explicación fácil como: "Hace una rabieta cuando no se sale con la suya", hacia el espacio de preguntarse qué es lo que sucede que está causando esos arrebatos tan graves por un incidente que parece insignificante.

Otro principio subyacente en mi práctica es que la gente hace lo mejor que puede con las herramientas y la información con las que cuentan al momento. Otras preguntas que me hago frente a un niño molesto son:

- ¿Es esto lo mejor que puede hacer ahora este niño?
- Si es así, ¿qué está sucediendo en su mundo que causa este comportamiento?
- ¿Qué está bien de esto que no estoy captando?

¿Qué tal si el comportamiento que parece tan equivocado está diciéndote algo que definitivamente necesitas saber sobre tu hijo? ¿Qué tal si tu hijo está comunicando una necesidad que no estás captando? ¿Y si escucharas la comunicación de tal forma que permitieras cambiar algunas cosas que harían la vida mejor para todos los involucrados?

Los niños X-Men funcionan muy distinto y la manera en que les respondemos necesita ser a la medida de quienes son y de lo que requieren para prosperar. Desde mi experiencia, muchas de las intervenciones cognitivas y de comportamiento que funcionan con otros niños no funcionan muy bien con estos, así que necesitamos descubrir lo que sí funciona.

Todos los niños son únicos y responden de formas distintas, pero he descubierto que hay varias causas comunes de molestia para muchos niños. Estos incluyen la frustración respecto a lo lento que todo se mueve, que se les "mande" o se les obligue a hacer algo, no tener elección, no ser reconocidos, no ser escuchados y ser juzgados o criticados. Los niños

X-Men también tienen contrariedades y berrinches que expresan la ira (reprimida) de otras personas.

Cuando se trabaja con estos temas con los niños y cuando los padres y los maestros comienzan a usar un sistema distinto, el comportamiento de los niños realmente cambia. Aun cuando parece imposible al momento, sí es posible evitar los berrinches o desactivarlos más rápidamente cuando ya han empezado. Después de usar estas herramientas durante algún tiempo, las rabietas típicamente duran menos, ocurren menos frecuentemente y son menos intensas.

Demasiado lento

Hemos hablado en capítulos anteriores acerca de como los niños con TDA, TDAH, TOC y autismo funcionan más rápidamente que otros. No tienen que ir de la A a la B a la C para entender algo. Muchas veces van de la A a la Z instantáneamente, y cuando les dicen que están mal por eso o se les dice que deben hacerlo más lento se molestan.

Yo experimenté esto el otro día. Fui al banco y solo tenía unos minutos para comprar una orden de pago. La cajera quería charlar. Ella me hablaba de todo lo que haría después de salir de trabajar y al charlar dejó de hacer lo que requería para hacer mi orden de pago. ¡Yo sentía que mi cabeza iba a explotar! Obviamente no hice un berrinche, pero me costó ralentizarme y colocarme donde ella se encontraba. Y sorprendentemente, cuando me ralenticé, ella se apuró.

Si tu hijo es súper rápido y tiende a frustrarse de lo lento que es todo, puedes preguntarle: "¿Sabes lo rápido que eres? ¿Crees que esta persona pueda mantener tu paso? La consciencia de que la otra persona no puede mantenerles el paso puede cambiar todo.

También puedes decir: "Me pregunto si sabes lo rápido que eres y lo lenta que es esa persona".

O puedes intentar con: "Puedes estar a la velocidad que él o ella pueda escuchar?". El uso de "estar" y "escuchar" no corresponden a nuestra definición usual de esas palabras, porque se trata de la energía. A veces los padres no lo entienden, ¡pero los niños sí! Pruébalo y verás cómo responden.

No tener elección.

La mayoría de los adultos odian que les "den órdenes" o les digan qué hacer. Les deja con la sensación de no tener elección. Les parece que pierden poder y que es despectivo y a veces ¡los enoja mucho! Quieren ser tratados con respeto y cortesía. Lo mismo aplica para los niños.

Una madre me contó acerca de como su extremadamente brillante y voluntariosa hija de cuatro años, comenzó a hacer una rabieta cuando le anunció que saldrían a cenar esa noche.

"¡No, no quiero ir ahí!" le contestó enfáticamente.

Conforme más se agitaba la niña, la mamá recordó que ella le dijo a la niña que ella podía elegir el restaurante al que irían. Ella dijo: "¡querida! Acabo de recordar que te dije que tú podías elegir el restaurante. Después de decirte eso, nos llamaron nuestros amigos y lo olvidé completamente. ¡Lo siento tanto!".

El padre de la otra familia con la que irían a cenar se dio cuenta enseguida de la situación. Sabía que la niña amaba las leches malteadas y le dijo: "en ese restaurante tienen unas malteadas fabulosas. Si vamos ahí, tal vez puedas probar una". La niña cambió de parecer al instante. Ella dejó de quejarse, fue con gusto y todos se la pasaron bien.

¿Qué hicieron esos adultos que fue tan efectivo? Reconocieron que, sin querer, le habían quitado su elección a la niña, reconocieron que lo hicieron y le ofrecieron una elección nueva y fresca que ella aceptó gustosamente.

No ser reconocido

Los niños también se molestan cuando no son reconocidos. Una madre vino a hablarme sobre su hijo de seis años. El niño no estaba presente, pero sí traía a su hija de casi tres años con ella. Al final de la sesión, cuando estaba parada junto a la puerta, la madre tenía algo más que decirme. Conforme hablaba, la niña la interrumpía una y otra vez. La madre, cada vez más incómoda, la ignoraba, y la niña se hacía cada vez más persistente. La niña comenzó a quejarse y a alejarse del consultorio sola. Le pregunté a la madre si podía hablar con su hija. Me miró sorprendida y dijo: "Sí".

Me arrodillé junto a la niña y le pregunté si había algo que quisiera añadir. Ella miró a su mamá y dijo: "Mami, amo a Jamie (su hermano). Jugamos juntos". Su mamá sonrió, se relajó y dijo: "Gracias".

¿Qué sabía la niña acerca de su hermano que estaba tratando de comunicar a su mamá? ¿Podía ser que, a pesar de que su mamá y su hermano estuvieran pasándola mal, no veía que hubiera nada 'mal' con su hermano? O ¿era una invitación para que su mamá jugara más con Jamie, para fuera menos intensa con él? O bien, ¿invitaba a su mamá a un espacio diferente?

Era claro que la niñita deseaba contribuir a su mamá y a su hermano y aunque la contribución no era clara cognitivamente, energéticamente era un cambio de paradigma. La mamá se movió hacia un espacio diferente y dejó de enfocarse en sus 'problemas' con su hijo. La mamá sonrió y se fueron tomadas de la mano.

Gary:

Reconocer a los niños es vital. Mi hija menor siempre habla con su hijo de un año como con un adulto. Le dice cosas como "¿Puedes guardar eso por favor?" o bien "¿Puedes hacer esto, por favor?" Y él lo hace. Él entiende el concepto de lo que ella dice, y ella piensa hacia él en imágenes, por lo que él sabe qué se le está pidiendo.

¿Y si supiéramos que todos los niños se comunican telepáticamente y los tratáramos como si fueran los seres infinitos con capacidades infinitas para entender? ¿Crees que haría una diferencia en la forma en que responden ante el mundo?

No hay razón para que los niños con TDA, TDAH, autismo y TOC tengan problemas si estamos dispuestos a ser más conscientes y a reconocerlos como los seres infinitos que son. Cuando creamos problemas es cuando insistimos en que se adapten a nuestros planes o cuando demandamos que cambien y se conviertan en quienes no son.

Juicio

Anne:

A veces la molestia de los niños puede ser menos visible. A veces los niños se cierran en sí mismos, se hacen invisibles o lloran calladamente. Con estos niños, su molestia parece desesperanza. El hijo de once años de unos amigos nuestros fue enviado durante una semana a visitar a sus tíos a Vermont. Él es un niño alegre, creativo, consciente y sensible. Pero la visita no iba bien. Sus tíos creían que él extrañaba su casa y ansiaba volver. Su madre le había dicho a su hermano (el tío del niño) que al niño le encantaría ir a disparar y a hacer montañismo con él y, sin embargo, el niño rechazaba cada oferta que el tío le hacía para hacer esas cosas.

Le pedí a mi amiga que me contara de su hermano, y casi sin querer, me contó que tendía a juzgar todo y a echarle la culpa a todo el mundo cuando las cosas no iban bien. Ella dijo: "Nada está bien ni es lo suficientemente bueno para él. Critica todo sin piedad".

Tal vez te preguntes la razón por la que la madre del niño lo enviaría a un ambiente tan hostil. Conforme hablábamos, descubrí que son una familia unida que valora la lealtad, por lo que para ella era difícil reconocer la verdad acerca de su hermano. Ella pensaba que su visión negativa respecto a él era un juicio, o una forma de traición. De hecho, en este caso, ni siquiera era un juicio, era simplemente la consciencia de que era una persona ruin.

¿Qué comunicaba el niño al ansiar volver a casa? ¿Qué les decía a todos al negar las invitaciones de su tío? ¿Estaba siendo grosero? ¿Estaba siendo un 'niñito de mamá' como le llamaba su tío? ¿Necesitaba 'hacerse hombrecito'? O bien, ¿estaba sufriendo frente al juicio sin piedad de su tío? ¿Realmente extrañaba su casa, o era la manera más fácil que tenía para manejar el estrés de estar en un ambiente poco amable?

El niño no es mi cliente, por lo que no tuve oportunidad de hablar con él. Sin embargo, si lo hubiera hecho, le habría hecho preguntas para que él pudiera tener mayor claridad respecto a su tío y respecto a sí mismo. Le hubiera preguntado: "¿Qué sabes respecto a tu tío?". Y no intentaría convencerlo de ir en contra de su saber. Lo reconocería.

Me habría gustado señalar la diferencia entre percibir la crueldad y falta de amabilidad y sentir como si se lo mereciera. Le hablaría del juicio y la crítica y de la diferencia entre percibir el juicio que su tío hacía y el aceptarlo o 'apropiárselo' como si fuera alguna verdad respecto a sí mismo.

También le diría: "Cuando alguien te juzga, es porque él está siendo o haciendo aquello por lo que te está juzgando. Así, cuando una persona te juzga por no ser suficientemente bueno, indica que esa persona no se siente suficientemente buena. Está proyectando su juicio respecto a sí misma sobre ti. Es locura, porque no tiene nada que ver con quien eres tú. Está proyectándote sus juicios respecto a sí misma".

Cuando trabajo con niños que parecen alejados, tristes o cerrados emocionalmente, frecuentemente me doy cuenta de que se han comprado las críticas o los juicios que les han sido proyectados. Los niños son tan conscientes y están tan dispuestos a "apropiarse" de los sentimientos y de los juicios, que hasta los juicios sutiles o no hablados pueden tener un gran impacto sobre ellos.

Los niños saben mucho más respecto a lo que sucede a su alrededor de lo que creemos. Cuando no se les reconoce por lo que saben, dudan de sí mismos, hacen rabietas o lloran mucho. Cuando se les reconoce, prosperan.

No escuchar lo que los niños tienen que decir.

Estaba hablando con la madre de un niño de 12 años que había sido diagnosticado con TDAH y que tenía algunos rasgos de autismo. Ella dijo que tenía un temperamento que se sale de control casi sin provocación. Era cada vez menos respetuoso hacia ella, negándose a ayudar en la casa, burlándose cuando ella le pedía hacer quehaceres, maldiciendo, y a veces haciendo hoyos en las paredes. El padre del niño, de quien se había divorciado hacía seis años, solía intimidarla de forma similar, amenazándola con destruir cosas y teniendo ataques de ira. Después del divorcio, decidió que no permitiría a nadie tratarla así de nuevo. La falta de respeto de su hijo le recordaba los días más oscuros de su matrimonio y ella me dijo que no quería vivir así de nuevo.

Dijo que después de un momento particularmente inquietante, ella llevó al niño a quedarse con su papá quien había estado de acuerdo. Cuando su hijo volvió a casa, las cosas funcionaron bien durante un par de semanas. Ayudaba en la casa y aceptaba un no como respuesta. Entonces, una tarde que ella estaba con prisa, empezó a perder la paciencia con él y dejó de hacerle caso.

Él le dijo: "Mamá, no me estás escuchando".

Ella se dio cuenta que no estaba escuchándolo y le dijo: "Tienes razón. No te estaba escuchando. Ahora lo haré. ¿Qué me estabas intentando decir?". Ella entonces lo escuchó y él le agradeció después.

Ella se dio cuenta de la cantidad de veces en que había dejado de hacerle caso y se había negado a escucharlo y cuánto molestaba eso a su hijo. Esta experiencia fue el punto de cambio de su relación.

Herramienta: ¿Quién estoy siendo ahora?

Es una gran herramienta para usar con tus hijos cuando están haciendo una rabieta o haciendo trauma y drama. Cuando le preguntas a tu hijo a media rabieta: "¿quién estás siendo ahora mismo?" tal vez te griten. Pero se darán cuenta de que no están siendo ellos mismos, y esta consciencia les hará más difícil continuar la rabieta con la misma intensidad.

¿De quién es el enojo?

En una clase que dictó Gary, la tía de un muchacho de veintiún años que había sido diagnosticado con autismo describía la lucha de su sobrino con su temperamento. Nos contó que él frecuentemente se salía de sus casillas y que recientemente había perdido un trabajo por sus explosiones de ira. Ella nos contaba que era increíblemente intuitivo y consciente y lo describió como sanador. "Tiene una capacidad impresionante de sanar", dijo ella: "pero es infeliz".

Gary le preguntó si la infelicidad era suya, y ella dijo: "no, no es suya, es de sus padres".

Gary entonces preguntó si acaso estaba intentando sanar la infelicidad de sus padres.

"Sí", respondió: "toma toda la infelicidad de sus padres intentando sanarla".

Gary le dijo: "Y si le preguntas si cuando explota es por su ira o si tiene consciencia de la ira de los demás y de como a ellos les encantaría explotar, pero no se lo permiten. Pregúntale si es capaz de expresar lo que los demás no pueden".

En mi consultorio muchos padres traen a sus hijos por su comportamiento. En lenguaje clínico, cuando una persona es traída a terapia se llama el "paciente identificado". Como este joven, muchas veces los niños simplemente actúan lo que otros en su familia no están dispuestos a expresar. Como dice Dain, son quienes son capaces de expresar lo que otros miembros de la familia reprimen y suprimen.

Herramienta: Destruye y descrea tu relación

Desafortunadamente, los disgustos persisten largo tiempo después de que "pasaron". Los niños tienden a quedarse atorados en las decisiones y conclusiones que hicieron cuando estaban disgustados y eso puede afectar una relación.

Esto no tiene que ser el caso para ti si destruyes y descreas tu relación con tu hijo cada día. Destruyes y descreas todo acerca de quién, qué, cuándo, por qué y cómo piensas que el niño es y todo acerca de quién, qué, cuándo, por qué y cómo tú eres con el niño, así como todo acerca de quién, qué, cuándo, por qué y cómo piensa el niño que tú eres con él.

Digamos que tú y tu hijo tienen algunos momentos difíciles, discusiones o conflictos durante el día y te gustaría estar en un espacio diferente con él. O digamos que tuviste un día fenomenal y quisieras tener aún más gozo y facilidad. En la noche, antes de ir a la cama, di: "Destruyo y descreo todo lo que fue mi relación con mi hijo hoy y en el pasado".

Cuando destruyes y descreas tu relación cada noche, puedes crear de nuevo tu relación cada día, lo que significa que estás en la vanguardia creativa de una nueva posibilidad. No traerás contigo tus molestias, decisiones y conclusiones al nuevo día. Serás capaz de generar algo fresco y nuevo con tus hijos. Si haces esto cada día, tendrás una relación distinta con ellos. Ellos serán capaces de hablar contigo de cosas de las que nunca han hablado antes y tú serás capaz de hablar con ellos de cosas que siempre quisiste y nunca lo hiciste. Esta herramienta te pone en un estado de generación o creación constante de la relación, en vez de funcionar desde los antiguos puntos de vista. Es una de mis herramientas favoritas de Access Consciousness y la uso cada día.

Herramienta: Destruye y descrea todas las proyecciones y expectativas que tienes de la relación.

Una variación de la herramienta "destruye y descrea tu relación" es destruir y descrear todas las proyecciones y expectativas que tienes de tu relación con tus hijos, tus alumnos, tu pareja o con cualquier otra persona. Me gusta hacer esto cada mañana.

Cuando destruyes y descreas tanto tu relación con alguien como las expectativas y proyecciones que tienes con esa persona, destruyes y descreas las limitaciones del pasado y la solidez del futuro que estás creando. Eres capaz de estar en el presente con tal facilidad y desde ese espacio, creas un futuro diferente.

Trina y Aaron

Mi amiga Trina, la terapeuta ocupacional que trabaja en el sistema de educación pública, me contó la historia de Aaron, un chico de quince años con autismo. Aaron es no verbal y se comunica con un iPad. Requiere asistencia para escribir; alguien debe empujar su mano sobre la de él para estabilizarla para que él pueda escribir y puede ser un proceso lento. Su mente trabaja a la velocidad de la luz y el proceso puede ser enormemente frustrante para él.

Trina ve a Aaron todos los días. Me dijo que dos o tres veces al día, él se tiraba al suelo y hacía una rabieta. Frecuentemente le jalaba el cabello a la maestra o al para profesional.

Un día que él estaba calmado, ella le preguntó: "¿Qué sabes de las veces que haces rabietas?" Él escribió: "en matemáticas y estudios sociales". Trina comentó que ambas clases eran en el mismo salón, con la misma maestra.

Ella le preguntó qué más sabía. Él contestó: "Mi maestra piensa que soy estúpido". Ella preguntó si la maestra le había dicho eso verbalmente, y él escribió: "No, pero eso piensa, puedo oírlo en mi cabeza".

Trina le preguntó si él pensaba que era estúpido y él contestó: "No, pero mi maestra sí".

Entonces ella preguntó: "Sabes lo asombrosamente brillante que eres en la forma en que percibes y ves cosas? Es tan diferente de la forma en que los demás perciben y ven las cosas".

Él contestó: "Sí, pero ella no entiende".

Ella le preguntó si podía destruir y descrear su relación con la maestra. Ella le dijo: "La gente puede proyectar sus juicios sobre nosotros y tal vez se trata de sus juicios de sí misma por no saber cómo comunicarse contigo. Si cada día destruyes y descreas tu relación con ella, estarás destruyendo y descreando todos los juicios que ella coloca sobre ti cada día. ¿Eres capaz de hacer eso?

Él contestó: "Sí".

Ella le preguntó: "¿Entiendes?" a lo que él contestó: "¡SÍ, TRINA!".

Esa fue la primera vez que él escribió su nombre. Ella dijo que estaba asombrada por la cantidad de información que él le había dado ya que se habían comunicado con el iPad, y eso requería tanto tiempo, esfuerzo y persistencia, así como vulnerabilidad. Después de esa interacción, los episodios donde Aaron jalaba el cabello y se tiraba al suelo disminuyeron de dos o tres veces al día a uno o dos por semana.

16

Permisión

Tu punto de vista crea tu realidad.
La realidad no crea tu punto de vista.

~Dr. Dain Heer.

Gary:

Cuando estas en permisión de la gente como es, para ellos es raro y precioso. Quieren que estés con ellos, no quieren que te vayas. Les gusta tenerte cerca porque los ves sin juicio, y cuando ves a alguien sin juicio, eres lo más seductor que ha caminado por la faz de la Tierra. Todo tipo de cosas se vuelve posible. Tu habilidad para estar en permisión es un regalo tremendo.

Anne:

La permisión es salir del espacio de pensar que hay formas buenas o malas de ser y hacer. Tú percibes simplemente las cosas como son. Cuando entras al espacio de la permisión, todo se hace más claro y tienes la libertad de elegir diferente.

Gary:

Puedes alinearte y estar de acuerdo o puedes resistirte y reaccionar a un punto de vista. Esa es la polaridad de esta realidad. O bien, puedes estar en permisión. Si estás en permisión, eres la roca en la corriente. Los pensamientos, las creencias, las actitudes y las consideraciones vienen hacia ti y te rodean porque para ti, son tan solo un interesante punto de vista. Si, por otro lado, te alineas y aceptas o resistes y reaccionas a ese punto de vista, te quedas atrapado en la corriente de la insania y te arrastra. Esa no es la corriente que deseas. Mantente en permisión. La permisión total es: todo es tan solo un punto de vista interesante.

Alinearse y aceptar.

Anne:

La primera vez que escuché a Gary hablar de permisión, cambió todo para mí. Vi como pasaba mucho de mi vida intentando encajar. Había intentado alinearme y aceptar en vano lo que todos pensaban. La corriente de los puntos de vista de los demás me arrastraba continuamente.

Cuando estaba en tercer grado, un hombre que vivía en nuestra ciudad era candidato para ser senador de los Estados Unidos. Nuestra maestra le dijo a la clase que, como ese hombre era de nuestra ciudad, nuestros padres debían votar por él. Yo acepté inmediatamente su punto de vista: "Oh, cierto. Nuestros padres deberían votar por él".

Cuando repetí este punto de vista a mi mamá, ella dijo: "No porque sea nuestro vecino significa que vayamos a votar por él. Yo nunca votaría por ese hombre".

Entonces acepté ese punto de vista. "¡Claro! ¡No tenemos que votar por él solo por ser nuestro vecino!" y cuando le dije esto a mi maestra (con el sarcasmo y el desprecio expresado por mi madre) ella me castigó durante el recreo y me hizo quedarme en el salón a copiar páginas del diccionario por haberle faltado al respeto.

Es muy fácil para los padres de niños X-Men el caer en la trampa de alinearse y aceptar lo que 'los expertos' dicen acerca de las 'incapacidades' de sus hijos, y la manera 'correcta' de ser padres o de educarlos. Hace un mundo de diferencia cuando te sales de alinear y aceptar: "Oh, sí, eso debe ser correcto", y en vez de eso moverse a la permisión: "Mmm, ese es un punto de vista interesante. ¿Qué es verdad para mí y para mi hijo?",

Resistencia y reacción

Cuando Gary comenzó a hablar de permisión. También vi como la gente pasaba la vida resistiéndose y reaccionando a lo que todos decían, pensaban y hacían. Reconocí que había hecho lo mío también. Cuando era pequeña, cada vez que alguien me decía que no podía hacer o tener algo, hacía todo lo posible por hacerlo o tenerlo. Cuando tenía siete años, mi mamá me mostró una publicidad de una hoja completa en el periódico de zapatos infantiles. Ella me dijo que podía comprar el que yo quisiera excepto un par en particular. Hice una rabieta, lloré y argumenté que ese era el único par que consideraría comprar de entre todos los que había para mí. Después de un rato, ella "cedió" y me compró ese par de zapatos. Años después descubrí que los zapatos "prohibidos" eran justo los que ella quería que yo eligiera. ¡Me había manipulado, sabiendo que yo me iba a resistir y a reaccionar! Hasta este día, a veces sigo siendo así. Alguien me dice: "No" y mi respuesta inicial es "¡Mírame!",

Sin embargo, gracias a Gary, vi que había otra elección. Era estar en permisión, percibir todo como un punto de vista interesante, y esto ha hecho una diferencia impresionante para mí en mis relaciones y en mi trabajo.

Estar en permisión como padre

¿Y si no demandaras que tus hijos se alineen y acepten tus puntos de vista? ¿Y si les pudieras dar permiso de tener sus propios puntos de vista y cambiar sus puntos de vista conforme les apetezca? ¿Y si pudieras darles a tus hijos permiso de ser quienes son?

Estar en permisión con los niños es esencial, y es imperativo al lidiar con niños X-Men. Los niños en el espectro autista, por ejemplo, pueden tener comportamientos extraños. En vez de tener un punto de vista firme acerca de si están bien o mal, al hacer preguntas y captar lo que están diciendo puedes cambiar situaciones y dificultades que parecen insalvables.

Estar en un espacio de permisión no significa que te conviertas en felpudo y permitas a tus hijos correr sobre ti. No significa que digas que sí a cada cosa que te pidan. Y no significa que te excluyas de la ecuación.

Estar en permisión definitivamente no significa que no digas no. A veces no es exactamente lo que se requiere. Y si tu niño explota, ¿qué tal si pudieras permitir que ocurra la explosión y no sentirte responsable por ella? El no sentirte avergonzado en el mercado cuando tu hijo hace una rabieta y se tira al suelo puede requerir práctica. Sin embargo, cuando estás en el espacio de permisión total respecto de tu hijo y de lo que está eligiendo en el momento, cuando ves su elección como un punto de vista interesante, no hay contra quien puedan actuar, y típicamente las rabietas no duran mucho.

"Bien" es una respuesta energética perfectamente apropiada a una rabieta (no ¡Biieeeen!) solo "Bien" con la energía de "si eso es lo que eliges, está bien".

Dain:

Si no tienes juicio en tu punto de vista, no la realidad puede mostrarse sin limitaciones, porque el juicio es el mayor limitador.

Gary:

En cualquier momento que tienes un punto de vista fijo respecto a cualquier cosa, creas un ancla que te mantiene atorado donde estás.

Anne:

Cuando no tienes un punto de vista acerca de lo que eligen tus hijos, puedes hacer preguntas e ir más allá de las nociones preconcebidas que pueden tener tú y otros acerca de lo que están eligiendo.

Dain:

Tus puntos de vista siempre son tu elección. Cambiarlos por algo diferente que funcione mejor para ti también es tu elección. Nunca tienes que estar atorado en un punto de vista que tienes actualmente acerca de nada.

Anne:

Tampoco tus hijos. Cuando estás en permisión, energéticamente les das permiso a los niños para que cambien sus puntos de vista.

Recientemente facilité una clase donde asistió una mamá con su hijo de veintiún meses. En cierto momento, él tomó una botella muy grande y pesada de agua que habían traído con ellos, y la levantó sobre su cabeza para darle un trago. Sobraba solo un traguito y en vez de entrar a su boca, la mayor parte del agua se derramó por el frente de su camisa y hacia el piso.

Puso la botella en el suelo y dijo: "Mamá... ¡mah!".

Su mamá lo vio y le dijo: "Mira, la tiraste por toda tu camisa y en el piso. No, no puedes poner más agua en esa botella".

En ese punto, él hizo lo que siempre hace cuando su mamá dice que no, o intenta controlarlo. La ve a los ojos y grita.

Le pregunté a la mamá. "¿De quién es la camisa?".

Ella sonrió, se relajó, dejo su punto de vista y le dijo al niño: "Bien, te voy a poner más agua en la botella".

Ya que mamá estaba trabajando con otro participante de clase en un proyecto, yo le ofrecí ir por agua. El agua estaba muy fría. Puse como tres dedos de agua en la botella y se la devolví. Había hielos dentro y él podía verlos. El corrió hacia su mamá, puso la botella en el suelo, restregó el frente de su camisa: "¡Noooo, mamá...noooo, mamá!" El sabía que no quería nada de esa agua fría en su pecho.

Desde ese momento ya no intentó tomar agua de la botella durante el resto del fin de semana. En vez de eso, me pedía ir con él a la mesa donde estaba el agua y ponerle un poco en un vasito de plástico.

Mientras mamá tuviera el punto de vista que no debía tomar agua de la botella, su única elección era retarla y gritar. Al momento en que ella cambió ese punto de vista, él pudo ver lo que iba a crear si bebía el agua helada de la gran botella, es decir, tener agua helada en su camisa, y eligió algo distinto.

17

Elección

Siempre debería haber elección para los niños.
Necesitas reconocer que los niños eligen lo que eligen para obtener un resultado que, según ellos, cambiará algo.

~Gary Douglas

Anne:

Se cree comúnmente que los niños con 'incapacidades' no son capaces de elegir 'bien' y muchas veces los adultos no están dispuestos a dejarles elegir cosas en el día a día de sus vidas. Parecería que, para muchos niños y para los adultos que interactúan con ellos, los niños no tienen elección acerca de nada, pero ¿y qué tal si sí tuvieran?

Los niños eligen continuamente. Eligen si están de malas (o no) si tontean (o no) si golpean su cabeza contra el suelo (o no) si se van a un espacio diferente (o no) si nos hacen caso cuando les pedimos algo (o no).

Cuando estamos en el espacio de permisión de sus elecciones, ellos pueden captar continuamente la energía de lo que están creando y pueden continuar eligiendo lo que han elegido, o elegir algo diferente.

Una amiga que trabaja con niños X-Men en el sistema de educación pública comenta que hay elección aún en el medio del disgusto y los berrinches. Me contó acerca de uno de sus estudiantes de secundaria con autismo. Él era no verbal, pero se comunicaba energéticamente todo el tiempo, sin embargo, nadie lo escuchaba. Este joven tenía frecuentes arrebatos de ira.

Ella decía que, muchas veces, cuando ella llegaba al salón de clases para trabajar con él, él ya se había fugado de clase o había tenido un arrebato de agresión física. Un día él había intentado salir justo antes de que ella llegara y casi había roto un cristal de la ventana con la mano. Cuando ella entró al salón, dos para profesionales lo tenían sujeto en una alfombrilla para mantenerlo seguro.

Ella vio al estudiante y dijo: "Oye, estás creando que te controlen más. ¿Es eso realmente lo que quieres crear?".

Él la miró a los ojos, a pesar de ser alguien que no hacía contacto visual. Él dijo "Hmmah", dejó de resistirse y se calmó instantáneamente. En segundos ya estaba levantado y trabajando.

Él hizo una elección.

¿Cómo elegir?

Cuando hablamos de elegir, no hablamos de algún proceso cognitivo donde piensas fuerte y duro acerca de algo, pesas cuidadosamente los pros y contras y después eliges. No hablamos de tener la respuesta correcta y la respuesta equivocada o la elección buena y la elección mala. La 'elección' de la que hablamos tiene que ver con energía, no con la cognición.

Entonces, ¿cómo eliges? ¡Solo eliges!

Como adulto, eliges levantarte al sonar la alarma (o no). Eliges hacer un gesto obsceno al conductor que se te atraviesa (o no). Eliges quedarte hasta tarde para terminar un proyecto cuando te lo pide tu jefe (o no). Eliges como responder a cada situación en la vida. Solo eliges. Es lo mismo para tus hijos.

Y tu elección no necesita ser eterna. Si no te gusta la elección que has hecho, puedes elegir otra cosa. ¿Y si permitieras a tus hijos, y a ti mismo, elegir y volver a elegir?

La elección crea consciencia

Cuando eliges, te das cuenta de lo que crea tu elección ahora y lo que creará en el futuro, tal como el pequeño niño en el capítulo anterior que captó lo que crearía intentando beber el agua helada de la enorme botella de agua. Se dio cuenta de lo que crearía cada elección y eligió la que funcionaba mejor para él.

Facilitamos esta consciencia para los niños cuando estamos en permisión de lo que eligen. Y les invitamos a una posibilidad diferente cuando les hacemos preguntas.

Trajeron a un niño de diez años que llamaré David, a verme porque tenía frecuentes arranques explosivos. Su madre me dijo que explotaba fácilmente, se ponía a la defensiva, gritaba insultos, gruñía y se pegaba con los puños en la cabeza con frustración. Era un niño brillante y se impacientaba cuando la gente no podía o no mantenía su ritmo o cuando no lo reconocían.

Como David había sido castigado, reprimido y considerado en falta tan frecuentemente por sus arranques, él creía que había algo mal en él. Y como su vida no parecía cambiar tanto, parecía estar resignado a estar mal, a no tener amigos y a meterse frecuentemente en problemas. No tenía esperanza de que las cosas mejoraran y me dijo que no veía ninguna salida. Su madre también estaba desesperada y le proyectaba una vida difícil e infeliz en el futuro si no cambiaba de actitud ahora. Ninguno de los dos creía que David tuviera elección.

Cuando David y yo hablamos, él se retrató como la víctima de niños crueles y desagradables, de padres que no lo entendían y de maestros que le tenían mala fe. Le hice un montón de preguntas acerca de su vida en la escuela y en casa y hablamos de la noción de que realmente tenía elección. A pesar de que en un inicio se resistió, fue capaz de reconocer que tal vez sí tenía elección.

Al pasar del tiempo, David comenzó a elegir diferente. Los niños, los maestros y sus padres dejaron de afectarlo tanto. Era menos reactivo a lo que los demás hicieran o dijeran y hacía menos berrinches. Y cuando los tenía, no duraban tanto y eran menos intensos. Por ejemplo, si el niño vecino, uno de sus pocos compañeros de juegos, no podía jugar, en vez de molestarse, David era capaz de aceptarlo y seguir adelante.

¿Qué hice para facilitar este cambio? Le hice preguntas. No le demandé "respuestas", sino que acepté cualquier cosa que me dijera sin tener puntos de vista sobre sus elecciones.

Un niño en la clase de David era su némesis. Ese niño lo provocaba constantemente y David entraba en la pelea casi siempre. Un día, el niño convenció a un amigo mutuo de no invitar a David a su fiesta de cumpleaños. En mi oficina, David planeó la venganza.

A diferencia de la mayor parte de la gente en su vida, yo no tenía ningún punto de vista de lo que iba a hacer. En alguna ocasión, cuando había planeado alguna venganza, la gente se había entrometido y había intentado convencerlo de cambiar de planes, lo cual solo hacía que los escalara. En vez de eso, simplemente reconocí todo lo que decía y entonces le dije: "¿Puedo hacerte una pregunta?"

"Sí".

"Si llevas a cabo esos planes, ¿cómo va a ser tu vida mañana? ¿en una semana? ¿en un mes? Y si no llevas a cabo esos planes y haces algo diferente, ¿cómo va a ser tu vida mañana? ¿en una semana? ¿en un mes?"

Aun cuando al inicio clamaba que su vida sería mucho mejor si podía llevar a cabo su venganza, el captó la energía de lo que crearía eligiendo cada cosa que había contemplado, y al final, eligió una respuesta mucho más mesurada.

David me dijo después que el niño estaba irritado porque David no explotó como normalmente lo hacía y por tanto no se había metido en problemas.

“Entonces, ¿quién rio al último?” le pregunté.

Él sonrió.

Estar en permisión de las elecciones de los niños es esencial, pero lamentablemente, muchos padres y maestros piensan en lo correcto y lo incorrecto y tienen puntos de vista muy fuertes respecto a los niños. Cuando esto ocurre, los niños pierden la oportunidad de elegir y de darse cuenta lo que sus elecciones crean.

Un verano, trabajé brevemente con una mamá y sus hijos de cinco y dos años y medio. Ella estaba preocupada por el niño mayor. Ella me dijo que jugaba bruscamente con su hermano pequeño, así que trajo a ambos niños a la sesión para que yo pudiera ser testigo. Al describirme al hijo mayor, parecía que buscaba que yo validara todo lo que ella ya había decidido y concluido de él. Para ella era importante tener las respuestas y estar en control. Lo que menos tenía era permisión por sus dos niños.

Yo observé mientras los niños jugaban fácil y amablemente uno con el otro; ocasionalmente el mayor daba un juguete a su hermano menor. En algún momento, cuando el pequeño intentó quitarle un camioncito, el mayor lo dejó tomarlo. ¡Era tan distinto de la manera en que su madre lo había descrito!

Ella no dijo nada cuando esto ocurrió. Era como si ella no pudiera ver nada más allá de lo que había decidido y concluido.

El niño de dos años y medio arrastró un banquito que había en la sala hacia la ventana. La mamá comenzó a levantarse alarmada, preocupada de que cayera. Yo le sonreí y le pedí en voz baja que se quedara donde estaba. Yo no tenía puntos de vista respecto a que el pequeño usara el banquito, ya que estaba cerca de él y sabía que podía alcanzarlo si comenzaba a caerse. Él volteó y me miró. Yo le sonreí y me mantuve quieta, dándole permiso energéticamente de explorar. Él, con mucho cuidado, gateo sobre el banquito y se levantó. Volteó de nuevo con una amplia sonrisa en su cara y le aplaudí. Él echó marcha atrás en sus movimientos y se bajó a la alfombra.

Desde mi punto de vista, él estaba demostrando que la elección crea consciencia. Él eligió subir a un banquito y, al elegir, supo que podía subirse al banquito sin caer. Cuando se le dio el espacio de elegir solo lo hizo, con total consciencia de lo que crearía.

Mamá podía también haberle aplaudido, pero en vez de eso, estaba furiosa. Ella dijo: "¡Podía haber caído! Es torpe y se cae mucho. No puedo creer que le haya permitido ser tan imprudente".

Ella nunca volvió a verme con los chicos. Esa fue su elección.

18

El enunciado aclarador

Eres el único que puede desbloquear los puntos de vista que te tienen atrapado. Lo que te ofrecemos aquí, con el enunciado aclarador, es una herramienta que puedes usar para cambiar la energía de los puntos de vista que te tienen atrapado en situaciones que no cambian.

~Gary Douglas

Gary:

A través de este libro, y especialmente en la siguiente sección acerca de tu rol como padre, hacemos un montón de preguntas y algunas de ellas pueden torcer tu cabeza un poco. Esa es nuestra intención. Las preguntas que hacemos están diseñadas para sacar a tu mente del juego y poder llegar a la energía de la situación.

Cuando la pregunta ha torcido tu cabeza lo suficiente y ha sacado a flote la energía de la situación, te preguntaremos si estás dispuesto a destruir y descrear esa energía, porque la energía atorada es la fuente de las barreras y las limitaciones. Destruir y descrear la energía abrirá la puerta a nuevas posibilidades para ti.

Esa es tu oportunidad de decir: "Sí. Estoy dispuesto a dejar ir lo que está manteniendo esta limitación en su sitio".

De esto seguirá una frase extraña que llamamos el enunciado aclarador:

¿Todo lo que eso es, por un dioszillón, ¿lo destruyes y descreas? Acertado y equivocado, bueno y malo, POD y POC, todos los 9, cortos chicos y más allás".

No tienes que entender las palabras del enunciado aclarador para que funcione porque, como ya dijimos, se trata de la energía. Ni siquiera tienes que usar las palabras en el enunciado aclarador para liberar la energía de tus limitaciones. Después de hacer la pregunta, puedes simplemente decir: "Y todo lo que leí en ese libro de los X-Men", y eso también limpiará la energía, si esa es tu intención. Sin embargo, si quieres saber más de las palabras en el enunciado aclarador y su significado, están definidas al final de este libro.

Básicamente, con el enunciado aclarador, convertimos las limitaciones y las barreras que hemos creado en energía de nuevo. Nos referimos a las energías que nos impiden avanzar y expandirnos hacia todos los espacios a los que nos gustaría ir. El enunciado aclarador es simplemente la abreviación que aborda las energías que están creando las limitaciones y contracciones en nuestra vida.

Anne:

La primera vez que escuché el enunciado aclarador, me pareció que ¡no tenía sentido! Y a pesar de que sonaba bobo, funcionaba. Y funcionaba instantáneamente. Como dice Gary, no es necesario entender las palabras con tu mente lógica. Las palabras están diseñadas para eludir tu mente lógica. Recuerdo la primera vez que escuché a Gary decir: "ya que el primer idioma es la energía, el enunciado funciona, aunque sea dicho en un idioma que no hables". Esa es su magia.

¿Qué significa aclarar? Significa liberarse de algo. Es dejar ir. La mayor parte de las limitaciones y los lugares donde estamos atorados han sido creados por nuestra insania, al hacer algo una y otra vez esperando un resultado diferente.

El enunciado aclarador puede hacerse de diferentes formas, pero normalmente comienza con una pregunta, y a veces es una pregunta que te retuerce la cabeza, como: "¿Cuál es el valor de aferrarme a todo aquello de lo que me quiero librar?". Cuando haces la pregunta, surge la energía de la insania de aferrarte a todo aquello de lo que te quieres librar.

Reconoces y recibes la energía que surge y expresas tu disposición a destruir y descrearla. Al hacerlo, estás destruyendo y descreando todas las formas y los lugares donde compraste que las limitaciones eran reales y verdaderas.

El último paso es repetir el enunciado aclarador.

> *Acertado y equivocado, bueno y malo, POD y POC, todos los 9, cortos chicos y más allás".*

Entonces, aquí va:

> *¿Cuál es el valor de aferrarte a todo aquello de lo que te quieres librar? ¿Todo lo que eso es, por un dioszillón, ¿lo destruyes y descreas? Acertado y equivocado, bueno y malo, POD y POC, todos los 9, cortos chicos y más allás".*

Gary:

Mientras más uses el enunciado aclarador, éste va más profundamente y se pueden desbloquear más capas y niveles para ti. Si surge mucha energía como respuesta de una pregunta, puedes repetir el proceso varias veces hasta que el asunto ya no sea un tema para ti.

Puedes elegir hacerlo o no; no tenemos un punto de vista al respecto, pero queremos invitarte a intentarlo y ver que sucede.

19

¿Cuál es tu rol como padre?

¿Y si tú, como padre, fueras perfecto tal como eres?

~Dr. Dain Heer

Gary:

Los padres muchas veces identifican y aplican mal su rol como padres, incluyendo cosas como tener que saberlo todo, tener que darles a sus hijos una lista de reglas y normativas y tener que controlar su comportamiento. Muchos padres creen que serán juzgados por lo que hacen sus hijos.

Anne:

¿Y qué si muchas personas sí te juzgan por lo que hacen tus hijos? ¿Y qué si muchas personas son increíblemente criticonas y te juzgan sin importar lo que hagas o digas? ¿Y si no anularas tu saber a favor de la opinión o el juicio de alguien más?

Gary:

¿Estás intentando vivir el "sueño americano" (o australiano, o italiano o de donde quiera que seas) donde eres esta persona genial que se casa con el marido o la mujer perfecta, vives en la casa perfecta con una cerca de postes blancos y crías a los hijos perfectos a quienes todo el mundo ama y todos te admiran por tenerlos?

¿Renunciarías ahora a ser una persona genial, y comenzarías a ser una persona consciente en vez de eso? Todo lo que has hecho para hacerte genial en vez de consciente, ¿lo destruyes y descreas? Acertado y equivocado, bueno y malo, POD y POC, todos los 9, cortos chicos y más allás".

¿Cuánto tienes que juzgar para determinar si tienes la vida perfecta? ¿Mucho, poco? ¡Megatoneladas!

Todo lo que has hecho para juzgar si estás creando o no la vida perfecta que has decidido que tienes que crear, incluyéndote a ti, a tu relación, a tus hijos, al dinero que tienes o que no tienes, o a cualquier cosa y todo lo que estás haciendo para juzgarte por no crear la vida perfecta, ¿lo destruyes y descreas? Acertado y equivocado, bueno y malo, POD y POC, todos los 9, cortos chicos y más allás".

Dain:

¿Alguna vez te has dado cuenta de que cuando estás juzgando nunca sales ganando? ¿Has observado alguna vez que nunca te juzgas por ser mucho más grandioso de lo que eres?

Gary:

¿O mejor de lo que eres? ¿O más maravilloso de lo que eres?

Dain:

Siempre te juzgas como menos que. Te juzgas como más jodido de lo que estás, te juzgas por tener más problemas y cosas así.

Gary:

¿Te culpas por lo que has decidido que es la incapacidad, o lo que ha sido etiquetado como la incapacidad de tu hijo?

Todo donde has hecho culpa, vergüenza, arrepentimiento o reproches porque tus hijos tienen esta habilidad en vez de una incapacidad, ¿lo destruyes y descreas todo? Acertado y equivocado, bueno y malo, POD y POC, todos los 9, cortos chicos y más allás".

¿Renunciarías ahora a creer que es real que sea un problema? ¡Gracias! Acertado y equivocado, bueno y malo, POD y POC, todos los 9, cortos chicos y más allás.

¿Y estarías dispuesto a ver que tus hijos no son un problema, sino una posibilidad, especialmente si tienes niños con TDA, TDAH, autismo o TOC? Todo lo que eso es, ¿lo destruyes y descreas? Acertado y equivocado, bueno y malo, POD y POC, todos los 9, cortos chicos y más allás".

¿Cómo te trataron de niño?

Gary:

La mayor parte de nosotros no tuvimos un modelo parental nutritivo y amable y, en consecuencia, solemos tratar a nuestros niños, a nosotros mismos y a las otras personas en nuestra vida de la manera en que a nosotros nos trataron, no como debían habernos tratado. Dain dio un gran ejemplo después de que compró un sistema enorme de TV con sistema de sonido envolvente estéreo, de esos tan potentes que te tiran de la silla.

Dain:

La hija de Gary, Grace, dijo: "Dain, ¿podemos ver mi amiga y yo un DVD en tu nuevo sistema?".

Yo tuve una reacción extraña. Pensé: "¿Qué quieres decir? Es mi sistema".

¿Por qué no la dejaría usarlo? ¿Por qué no? Podía haber dicho: "Sí, por favor disfrútenlo. Diviértanse". ¿Hice eso? No. Me puse raro y desconfiado. Dije: "Sí, solo por esta vez".

Gary:

Después de que Dain dijo eso, volteó a verme y dijo: "Caray, no me siento bien acerca de lo que acabo de decir. ¿Qué tengo que ver diferente?".

Le pregunté: "¿Fuiste un mal niño?".

Él dijo: "No".

Le pregunté: "Cuidabas las cosas de tus padres?".

Él dijo: "Todo el tiempo".

Le pregunté: "¿Rompías cosas o hacías fiestas desbocadas?".

Dain dijo: "No. Nunca. Cuidaba de todo, todo el tiempo". (Eso fue porque era el único adulto de su familia, pero es otra historia).

Le dije: "¿Y si trataras a Grace como tenían que haberte tratado en vez de como te trataron?".

Dain:

Yo dije. "Vaya". Tengo que considerar eso. Mi papá volvió a casarse cuando yo tenía seis años y mi madrastra desconfió de mí desde que me conoció, a pesar de que era uno de esos niños que cuidaban de todo y de todos. Después de que mi papá se casó, viví el cuento de hadas en el que siempre quise vivir, incluyendo la madrastra malvada.

Gary:

Dain solía levantarse en la mañana para hacerle café a su mamá y se lo llevaba a la cama.

Dain:

Y a veces también le hacía el desayuno. Mi mamá confiaba en mí, pero mi madrastra tenía tanta desconfianza que no quería que me quedara solo en casa. No sé lo que pensaba, pero no confiaba en mí con las cosas de la casa ni con los autos. Yo era un niño bueno, pero no me trataba como si lo fuera. Una vez Gary y yo comenzamos a hablar al respecto y me di cuenta de que yo trataba a otras personas de la misma forma, desconfiando.

Gary:

Le pregunté a Dain si también se trataba a sí mismo así. Él dijo que sí. La mayoría de nosotros hacemos eso. Creemos que esa debe ser la manera correcta de hacerlo porque así lo hacían nuestros padres. ¿Cómo te tratas en tu vida? ¿Te tratas a ti mismo como tenían que haberte tratado, o de la forma en que te trataron?

Dain:

¿Estás tratando a tus niños de la forma en que deberían ser tratados basado en tu consciencia de lo geniales que son, o los estás tratando como te trataron a ti, simplemente porque así te trataron?

Todo lo que eso es, ¿lo destruyes y descreas? Acertado y equivocado, bueno y malo, POD y POC, todos los 9, cortos chicos y más allás.

"Nunca seré como mi madre"

Gary:

Pensamos que lo contrario de tratar a nuestros hijos como nos trataron a nosotros es declarar: "¡Nunca seré como mis padres ni haré lo que ellos hacían!" Yo hice eso. Cuando era muy joven, decidí que nunca trataría a mis hijos como me trataba mi madre.

Una vez, cuando mi hijo mayor era un adolescente, me desperté a las 3:00 a.m. con el ruido de fuertes charlas y risas en la sala de estar. Era mi hijo con sus amigos. Yo tenía que estar en el trabajo a las seis de la mañana, así que ¿qué fue lo que hice? Me levanté, salí a la sala de estar y rectamente le dije: "Jovencito, no estás siendo responsable…"

Apenas salieron esas palabras de mi boca, me di cuenta de que estaba siendo igual a mi madre. También me di cuenta de que mi hijo no me haría más caso del que yo le hacía a mi madre. Me detuve a media frase y dije: "…y mi madre me decía eso a mí y yo tampoco le hice caso. Buenas noches", y volví a la cama.

Decidir que no vas a ser como tus padres no funciona. Si decides que no quieres ser como ellos, no tendrás más remedio que duplicarlos, como hice yo. Lo que sí funciona es estar consciente.

¿Y si el mayor regalo que puedes darles a tus hijos fuera el regalo de la consciencia?

Tener cuidado versus ser consciente

Muchos padres se enfocan en querer mantener a sus hijos seguros. Ven esto como su trabajo y estoy de acuerdo que es una parte importante de su rol. La pregunta es: "¿Cuál es la mejor forma de mantenerlos a salvo?". ¿Es cuidarlos febrilmente y advertirles que tengan cuidado? ¿O es enseñarles que pueden cuidar de sí mismos al estar conscientes?

Cuando mi hijo menor tenía unos dieciocho meses, estábamos en el parque, y él decidió que quería subirse a un tobogán muy alto con los niños grandes. Comenzó a subir la escalera. Yo estaba a unos cinco metros pensando hacia él: "Con cuidado, Sky, con cuidado". Él llegó a unos tres cuartos de la escalera y me gritó "Papá, estoy siendo cuidadoso".

Él estaba captando mis pensamientos. Me di cuenta de que tienes que ser consciente de lo que estás pensando con respecto a tus hijos, porque lo captan. No les digas que sean cuidadosos. Diles que sean conscientes. La consciencia incluye a todo a su alrededor. Cuando son conscientes, no necesitan tener cuidado, porque sabrán lo que hacer.

Los padres dicen a sus hijos cosas como: "Ten cuidado. No hables con extraños". Aprendí a no hacer eso. Les decía: "Sé consciente. Si algo no se siente bien, sal de ahí, no importa de quien se trate. Aún si es alguien a quien conoces, no hagas nada con nadie que no se sienta bien para ti, aunque lo conozcas".

Dain:

Existe tanta diferencia entre ser consciente y ser cuidadoso. ¿Te han dicho alguna vez que seas cuidadoso? ¿Qué significa? ¿Sé paranoide? Esa es la única opción que tienes. Cuidadoso significa paranoide. Significa lleno de cuidado o ansioso. Ser cuidadoso te paraliza.

Consciente es: "Oye, todo está bien, todo está bien, todo está bien. Oh, oh. Espera un momento. ¿Qué es eso? Esto no se siente tan bien. Voy a prestar más atención o alejarme de eso". Estar consciente siempre te da más opciones y te permite tomar acción o salir de ahí.

Gary:

Cuando le dices a alguien que sea cuidadoso, deben suponer que hay algo que los puede herir que no está considerando. En nuestro trabajo con caballos, hemos descubierto que, si tienes miedo, ellos automáticamente suponen que han pasado algo por alto. Se ponen nerviosos y paranoides. Pasa lo mismo con tus niños. Cuando les dices "Sé cuidadoso", suponen que hay algo que han pasado por alto y no tienen otra elección que omitirlo.

Después de que mi exesposa y yo nos divorciamos, ella fue a México con mi hija menor. Ahora, mi exesposa es algo volátil…

Dain:

Espera. Es amable como un tornado, un huracán y una bomba atómica puestos juntos y cubiertos de caramelo. Ya me callo, sigue.

Gary:

Entonces, mi hija fue a México con su madre. Ella tenía unos dieciséis años. Un día, cuando estaba hablando con ella por teléfono, ella mencionó que su madre se la pasaba diciéndole constantemente que fuera cuidadosa. Lo encontraba molesto y me preguntó al respecto.

Le dije: "Querida, no necesitas ser cuidadosa; solo necesitas ser consciente. Hablas un bello español, pero no entiendes todo lo que se dice. Si eres consciente definitivamente vas a captar la energía de cualquier situación y sabrás cuando es momento de irte. Si alguien quiere engañarte, usará palabras que no entiendes. Así que, no seas cuidadosa, sé consciente".

No tengas cuidado, se consciente. Una dama me contó una historia acerca de su hijo. Ella siempre le decía que fuera consciente. Un día él estaba parado junto a un edificio en una ciudad y él pensó: "No quiero estar parado aquí. Quiero estar parado allá". Se movió, y entonces algo cayó del edificio y rompió la acera donde él había estado parado. Si hubiera sido cuidadoso, hubiera estado volteando por todos lados para ver quien quería 'hacerle' algo; pero no hubiera estado consciente de que necesitaba moverse porque algo venía bajando desde arriba.

Así que, todo lo que has comprado y todo lo que has fijado en tu cuerpo acerca de ser cuidadoso o mediante ser cuidadoso, ¿lo destruyes y descreas y lo envías de vuelta a su remitente? Acertado y equivocado, bueno y malo, POD y POC, todos los 9, cortos, chicos y más allás.

¿Rompiste el cemento?

También, cuando tus hijos se caigan, no supongas que se han lastimado y corras y les preguntes si están bien. El dolor es una invención, no una realidad. Cuando mis hijos se caían en el cemento, yo caminaba hacia allá y les preguntaba: "¿Rompiste el cemento?" Me veían, decían no y se iban corriendo a jugar. Sin heridas, sin raspones, sin moretones.

Si hubiese ido y dicho: "¡Oh no! ¿Estás bien cariño?". Hubieran llorado y creado un gran chichón en su cabeza.

Si preguntas: "¿Estás herido?", ellos siempre estarán heridos. Si preguntas: "¿Rompiste el cemento?" dirán no y se irán corriendo felices.

Siendo padres con consciencia

Ser padre con consciencia es estar dispuesto a reconocer que no tienes todas las respuestas y que debes aprender a hacer preguntas que despertarán a tu hijo. La consciencia es reconocer que no puedes controlar a tu hijo; solo puedes manipularlo. Puedes manipular a tu hijo para que haga cosas que tú quieres que haga y para que no haga cosas que no quisieras que haga. La consciencia también es la disposición a ver lo que funciona para él.

Los padres a veces preguntan acerca de disciplinar a los niños. Yo contesto que a mí me educaron con la cachetada ocasional, así que, naturalmente yo intenté eso con mis hijos. No funcionó. Comencé a darme cuenta de que la única disciplina efectiva es dejar que los niños sepan lo que sucederá cuando hacen algo. Y después dejarlos elegir lo que desean hacer. Darles elección es siempre la mejor elección. Yo les daba a mis hijos a elegir entre tres o cuatro cosas, de las cuales tres no eran lindas. Yo decía: "Puedes tener esto, esto, esto o esto. Y si no eliges este, vas a ser infeliz".

Dain:

Cuando los hijos de Gary eran jóvenes, él no decía: "No toques la estufa". En vez de eso: "Si tocas la estufa caliente, te va a doler un montón". Los niños se acercaban lo suficiente para sentir el calor y decían. "Oh, tal vez papá tiene razón". No les decía que no la tocaran; simplemente les hacía saber lo que sucedería si lo hacían.

Gary:

Cuando mi hijo menor tenía nueve meses, fuimos a la tienda de comida y él se paraba en el carrito en vez de sentarse en el pequeño asiento. Mientras caminábamos por la tienda, le dije: "¿Sabe qué, jovencito? Realmente debería sentarse porque si se cae en este suelo tan duro, se romperá la cabeza y no se sentirá bien". Él me miró, dijo 'oh' y se sentó.

Una dama anciana que estaba cerca comenzó a reír. Ella dijo: "Eso es lo más raro que he visto. Nunca había escuchado a nadie hablar así a un bebé".

Yo dije: "Tiene un cuerpo pequeño, pero es un ser infinito".

Es asombrosa la diferencia que hace explicar las cosas a los niños, aun cuando son muy jóvenes. Ellos escuchan.

No más de cuatro reglas

Cuando llegas al punto de que son adolescentes, nunca les des más de cuatro reglas. Con mi hija menor, las reglas eran: 1) No tomar y conducir, porque sé que vas a tomar. 2) Puedes tomar en casa y tus amigos pueden tomar en casa siempre y cuando nadie se vaya después a ningún otro lugar. 3) Ningún chico puede quedarse a dormir cuando no esté aquí; y 4) Nunca más de tres chicos en casa al mismo tiempo. Lo único que sé de los jóvenes es que, cuando se juntan, pueden alborotarse y alocarse en el momento equivocado.

También le pedí: "Por favor avísame cuando regresas a casa, porque no me duermo hasta que sé que estás aquí. ¿Harías eso por mí? Sería muy útil". Esa no era una regla, era una petición. Aquellas eran las únicas cosas que le pedía. Entonces le dije: "Si no vienes, voy a salir a buscarte".

Dain:

Una noche, Grace llamó a Gary y le dijo: "Papá, llámame y dime que tengo que volver a casa".

Él dijo: "está bien", y le llamó en seguida de vuelta y le dijo: "Grace, tienes que venir a casa", y ella vino a casa.

Gary preguntó: "¿Qué pasó?"

Ella dijo: "Estábamos en la casa de mi amiga y sus papás no estaban. Había tres chicas y dos chicos borrachos y cinco chicos borrachos más venían en camino. Eso no se sentía seguro para mí, así que quise que me sacaras de ahí".

Gary:

Eso es estar consciente en vez de ser cuidadoso.

Si tienes pocas reglas, los niños comienzan a usar su consciencia, comienzan a estar presentes en su vida y no crearán situaciones repugnantes como aquellas con las que muchos padres deben lidiar. Confía en tu hijo. Si confías en tu hijo y estás dispuesto a decirle que confías en él, esto creará una diferencia asombrosa en la forma en que actúa.

Dain:

¿Eres el resultado de las restricciones que te pusieron tus padres, o de la confianza que te dieron? Yo diría que eres quien eres más bien por la confianza que te otorgaron.

Gary:

¿O simplemente saliste bien porque eras genial desde el inicio?

Dain:

Yo solía pensar que lo que me hacía tan bueno en la escuela y un chico tan genial eran todas las reglas y restricciones que me imponían mi papá y mi madrastra. Pensaba que eran necesarias para criar a un niño. Después, cuando lo consideré, me di cuenta de que las reglas y restricciones no tenían mucho que ver con la forma en que soy. Me comportaba como lo hacía por mí, a pesar de las reglas y restricciones.

Gary:

Entonces, todo lo que has hecho para no reconocer que nada de la disciplina que te impusieron tenía algo que ver contigo y que simplemente eras genial desde el inicio, y todo lo que no has estado dispuesto a saber, ser, percibir y recibir de eso, ¿lo destruyes y descreas ahora todo? Acertado y equivocado, bueno y malo, POD y POC, todos los nueve, cortos, chicos y más allás.

Intentando controlar a los niños

Tengo cuatro hijos. Para cuando nació mi cuarta hija, estaba tan cansado que ya no podía considerar la posibilidad de intentar controlar lo que comía. Solo le decía: "come lo que quieras, querida". Ahora está en sus veinte y es la que mejor come de todos. ¿Cómo sucedió esto? No intenté controlarla. Con mis otros hijos, me aseguraba de que todo fuera orgánico y que no comieran demasiada azúcar. Era control, control, control.

Mi hijo menor tenía un amigo llamado Matt quien solía venir a casa. Siempre teníamos un servicio de té listo con un azucarero y cosas para preparar y servir té cuando alguien venía.

Cada vez que venía Matt, encontraba una gran pila de azúcar tirada fuera del azucarero y por toda la charola y la cucharita del azúcar llena de azúcar. Sabía que los papás de Matt le prohibían comer azúcar así que era fácil descifrar cómo había sucedido el desorden. Un día, cuando vino, me escondí en el otro cuarto y esperé para ver lo que sucedía.

Lo observé mientras metía la cucharita de azúcar en el azucarero y se tragaba el azúcar a cucharadas, una tras otra. Salí y le pregunté: "Matt, ¿qué haces?". Para mí no está bien que te comas el azúcar de mi azucarero".

Matt se veía realmente asustado.

Le dije: "No te dejan comer azúcar en casa, ¿verdad?".

Él dijo: "No".

Le pregunté: "¿Qué pasaría si le digo a tu papá?".

Matt dijo: "Me azotaría".

Le dije: "No le diré a tu papá, pero tienes que hacer un trato conmigo. Te dejaré comer cualquier tipo de azúcar que elijas en mi casa siempre y cuando no comas azúcar del azucarero".

Él preguntó: "¿Puedo comer cualquier cosa?".

Le dije: "Sí".

Las siguientes tres veces que vino a casa, comía azúcar como loco, y después de eso, olvidó el tema, porque ya no era algo prohibido. De pronto, desapareció la necesidad de comer azúcar. Como padres, cometemos un gran error cuando prohibimos a nuestros hijos hacer o tener algo.

Yo cometí ese error con mi hija mayor, quien se supone que era alérgica a los productos lácteos y al chocolate. Me aseguraba de que solo tomara leche de cabra y nada de chocolate. Intentamos controlar lo que comía por todos los medios. Entonces, un día después de que se fue al campamento de verano, decidimos limpiar su cuarto. Bajo la cama, en el armario, en cada cajón y en cada lugar en el que pudieras pensar, había pedazos de chocolate o papeles de chocolate arrugados. Ella los metía de contrabando todo el tiempo.

Sé consciente de que cuando le prohíbes hacer algo a tu hijo, él lo hará.

Dain:

Reconoce que tus hijos son iguales a ti. Son tan insufribles como tú. ¿Qué haces tú cuando alguien te prohíbe algo, aun cuando te lo prohíbas tú mismo? ¿Has intentado alguna vez hacer un ayuno? Te dices a ti mismo que no puedes comer. Entonces ¿qué haces? ¡Romper el ayuno lo más rápido posible! Solo puedes pensar en comer.

Bueno, tus hijos son iguales a ti. Si no esperas que tus hijos sean distintos a ti, puedes preguntar: "Bueno, ¿qué hubiera hecho yo a su edad?" Tal vez obtengas una perspectiva más clara respecto al lugar desde donde funcionan. Solemos esperar que nuestros hijos sean la perfección que nosotros nunca fuimos.

¿Y si tu hijo no tuviera que ser perfecto?

Gary:

¿Y si fueran perfectos tal como son?

Dain:

¿Y si fueran perfectos tal como son, aun cuando tengan TDA, TDAH, TOC, autismo o algo más?

Y ¿qué tal si tú, como padre, fueras perfecto tal como eres? ¿Crees que tienes que ser el padre perfecto, el padre correcto, el padre bueno, y que, si no eres el padre bueno, si no eres el padre perfecto, tus hijos morirán y se irán al infierno o serán maleducados y terribles? Limpiemos esos puntos de vista.

> *Todas las decisiones, juicios, compilaciones y conclusiones que tienes de ser la madre perfecta, el padre perfecto, la hermana perfecta, el hermano perfecto, el hijo perfecto, la hija perfecta, la tía perfecta, el tío perfecto, el ejemplo perfecto, el maestro perfecto, la nana perfecta, el abuelo perfecto, la abuela perfecta, y de que tienes que demostrar que eres el hijo o la hija perfecta educando a tus hijos igual a como tus padres te educaron a ti, ¿lo destruyes y descreas ahora todo? Acertado y equivocado, bueno y malo, POD y POC, todos los nueve, cortos, chicos y más allás.*

20

Gratitud, amor y cariño

¿Y si tu mayor potencia fuera la gentileza que puedes ser, la amabilidad que puedes ser, el cariño que eres y el espacio de permisión infinita que eres?

~Dr. Dain Heer

Gary:

Mi amiga Annie, quien tiene un rancho de caballos, dice que a veces la gente visita su rancho para estar con los caballos y abrazarlos. Algunas de estas personas caminan hacia un caballo como si fueran a atacarlo porque quieren algo de este. El caballo los ve y pregunta: "¿quién eres?" No quiere tener nada que ver con ellos. La gente se desanima.

Esta gente no está ahí para darle nada al caballo. No ven al caballo que está frente a ellos, no preguntan qué es lo que el caballo desea o requiere de ellos, no descubren lo que pueden obsequiarle al caballo; simplemente están ahí para tomar. Si pusieran atención al caballo y supieran como hacerlo, el caballo les obsequiaría su atención. Pero, desde el punto de vista del caballo (y también desde el mío) su comportamiento no comunica ningún tipo de cariño.

Esto es algo más que hemos aprendido del mundo animal. Cuando estás agradecido por el caballo o el perro o el gato exactamente como es, todo funciona. Puedes regalarles y recibir libremente de ellos. Lo mismo aplica con tus hijos. ¿Cómo les muestras que te importan? Muéstrales que estás agradecido por ellos.

La gratitud es tangible para un niño; el amor es intangible. El amor es confuso. Hay demasiadas definiciones de amor.

Anne:

Hay tantas definiciones y manifestaciones de amor como personas. Toma, por ejemplo, la frase: "Te amo". ¿Qué significa para ti? Probablemente no lo mismo que para mí. Frecuentemente escucho a padres decir a sus hijos, directa o indirectamente: "Si me amaras, tú ______". Ese amor es condicionado a que el niño sea y/o haga lo que quieren sus padres. En casas donde hay ira o violencia, el amor se acompaña con amenazas, miedo y/o daño físico. Los padres dicen cosas como: "Hago esto porque te amo". En otras relaciones, el amor y la culpa van mano a mano. En una familia que conozco, los padres culpaban al niño de la situación financiera: "Si no te hubiéramos tenido, tendríamos dinero". En algunas familias, el amor es contingente del desempeño, las calificaciones, el ingreso, los logros, o el aplauso. En todos estos ejemplos, el amor viene con juicio anexo.

Gary:

Comunicar al niño un sentido de gratitud es mucho más importante que decirle que lo amas. Hablé con un hombre en Australia cuya exesposa había sacado a su hija del país. Él no había visto a la niña por diecisiete meses. Ella estaba por volver y él no estaba seguro de como acercarse. Él me preguntó si podía recuperar su conexión.

Le dije: "Tu hija ha estado lejos de ti mucho tiempo, pero ¿realmente has perdido la conexión con ella?"

"No". contestó. Él se dio cuenta de que la conexión no se había perdido, a pesar de que no habían estado juntos por más de un año.

Le dije: "A veces, el padre que se lleva al hijo intenta convencer a su hijo que está bien irse diciendo cosas como: 'Tu padre no te quiere'. Pregunta a tu hija cosas como: '¿Te das cuenta de que te estuve buscando todo el tiempo? ¿Qué te dijeron acerca de mi punto de vista? ¿Te das cuenta de que eres lo más importante de mi vida? ¿Te das cuenta de que me importas tanto y estoy tan agradecido de tenerte en mi vida?' Entonces di: 'Gracias por volver conmigo'".

En esta realidad, el amor se trata de juicio y de crítica. La gratitud no. La gratitud es donde estás agradecido por que la persona esté en tu vida, agradecido por tenerla el tiempo que la tengas, sin juicio. A diferencia del amor, la gratitud solo existe sin juicio.

El primer paso es tener gratitud por ti. Cuando no tienes gratitud por ti, no puedes tenerla por tu hijo. Y si no tienes gratitud, debes juzgar. Sé agradecido por las cosas que puedes lograr en la vida, sé agradecido por las cosas que puedes percibir en la vida, y sé agradecido por el hecho de que no tengas que juzgarte. Cuando haces eso, puedes estar en permisión de ti, y de todos a tu alrededor, especialmente de tu hijo.

Anne:

¿Y si pudieras tener gratitud por tu hijo tal como es, sin importar lo que los demás piensen, a pesar de lo que los demás digan? ¿Y si pudieras aceptar las diferencias de tu hijo?

Los niños con autismo funcionan principalmente desde la energía en vez de desde las emociones, los pensamientos o los sentimientos. Muestran afecto de forma muy distinta a otros niños; de hecho, a veces puede no haber evidencia física de afecto o amor, porque frecuentemente no les gusta acurrucarse, que los abracen, o hacer contacto visual. Sin embargo, si te sintonizas con tu hijo energéticamente, sabrás lo que sucede en su mundo.

Cuando le preguntaron durante su charla de TEDx a Temple Grandin, si para los padres de un niño autista era poco realista pensar que su hijo los amaba, ella respondió: "Bueno, déjenme decirles, sus hijos serán leales y si la casa se está quemando, los van a sacar de ahí".

Trajeron a un niño de cinco años que estaba en el espectro autista a verme porque había dejado de hablar. No hacía contacto visual conmigo y hacía que su papá hablara y le llevara juguetes. En la primera sesión, me senté en el suelo y hablé con su papá. Mantuve al chico en mi visión periférica porque sabía que si lo veía directamente sería demasiado para él. Simplemente estaba disponible para él energéticamente. No demandé nada de él. Al final de la primera sesión, él estaba jugando con juguetes en el suelo, sentado cerca de mí, dándome la espalda.

Al final de tres meses, hablaba, no solo conmigo sino también con sus padres y con gente de la comunidad. ¿Yo le caía bien? Sí. ¿Me caía bien él? Sí. ¿Nos mostrábamos afecto abrazándonos o tocándonos físicamente? No. ¿Cómo sabía que le caía bien? Por la forma en que se iluminaban sus ojos cuando me veía en la recepción, por la forma en que insistía en contarme historias y callaba a su papá cuando intentaba aclarar algo, y por la forma en que le decía a su papá: "Papá, aquí vivimos ahora. No tenemos que ir a casa".

Su papá entendía todo eso y no le obligaba a ser mimoso como su hermano menor. Tampoco requería que su hijo fuera alguien que no era; en vez de eso, le demostraba su cariño facilitándole el aprender herramientas para poder funcionar con más facilidad en el mundo.

Gary dice: "El verdadero cariño es cuando no defiendes a nadie o a nada". El papá de este niño no defendía a su hijo, ni defendía el punto de vista de nadie. Simplemente estaba en permisión, agradecido por su hijo tal cual era.

Gary:

Para mí, el verdadero cariño se trata de estar en permisión y reconocer la elección infinita que tienen los niños. El verdadero cariño es cuando le permites a la otra persona ser exactamente quien es y hacer exactamente lo que hace y no tienes punto de vista al respecto.

21

La habilidad y disposición de percibir lo que es.

Si los niños captan todos los pensamientos, sentimientos y emociones de la gente a su alrededor, y tú les proyectas que están discapacitados, ¿qué es lo que has hecho?

~Gary Douglas

Percibir significa darse cuenta de lo que está ocurriendo al momento. Cuando percibes algo, te das cuenta de lo que es ahora en este momento, sin llegar a la conclusión de que va a ser así para siempre. Lo que se muestre mañana puede ser diferente. Cuando percibes lo que es y haces una pregunta, en lugar de llegar a una conclusión, tienes mayor consciencia.

Anne:

En el capítulo anterior, hablamos de un niño de cinco años en el espectro autista que había dejado de hablar. Cuando su papá lo trajo por primera vez a mi oficina, el chico se negaba a hablar, no digamos a reconocer mi presencia. Si hubiera usado mi percepción de él y concluido que había algo mal con él, o que nunca hablaría de nuevo, le hubiera enviado la misma energía que ya estaba recibiendo de diferentes fuentes. Habría sido como la madre que Dain mencionó, quien estaba investigando los síntomas del autismo en internet y cuyo hijo, Nicolas, los captaba de su cabeza y comenzó a exhibir esos síntomas y comportamientos.

Sin embargo, en vez de concluir algo acerca de mi cliente, quien no hablaba, le pregunté cosas como:

- ¿Qué es esto?
- ¿Qué se requiere para que esto cambie?
- ¿Qué está bien de esto que no estoy viendo?
- ¿Qué nos está diciendo (al hablar selectivamente)?
- ¿Cuál es el valor de no hablar?

Esas preguntas me dieron mucha consciencia del niño, de su familia y de lo que era posible para él. También originaron más preguntas para hacerle a él y a su papá para que ellos tuvieran mayor consciencia.

Percibir no se trata de fingir que algo que es, no es. No es acerca de decir: "Todo está bien", cuando en realidad hay cosas que no funcionan o que podrían cambiarse. No es fe ciega de que, de alguna manera, si solo piensas cosas positivas, todo va a funcionar al final. ¡No! Se trata de estar dispuesto a ser con lo que es. En el caso del pequeño, se trataba de percibir que él no hablaba y entonces hacer preguntas respecto a lo que se requeriría para que eso cambiara.

La disposición a ver lo que es.

Gary:

Las claves para considerar nuevas posibilidades para ti y para tu hijo son la habilidad y la disposición a ver lo que es. El factor esencial es la disposición para ver lo que es, percibirlo y recibirlo. Sin esta habilidad, los padres no son capaces de recibir la información que necesitan para ver lo que es posible con su hijo. Funcionan, como lo hace tanta gente, desde sus decisiones, conclusiones y juicios previos y no desde el sentido claro del ser extraordinario que está frente a ellos.

Dain:

Si no tienes acceso total a percibir algo, es porque en algún momento decidiste que no era posible. Por ejemplo, si has decidido que no hay forma de que puedas percibir todo lo que sucede en el universo de un niño autista, incluyendo toda la información que está comunicando y recibiendo, entonces no hay forma de que seas capaz de percibirlo.

Anne:

Como padre, ¿qué tal si cada mañana pudieras destruir y descrear todo donde no has estado dispuesto a percibir y recibir lo que es respecto a tu hijo?

> *Todo donde no estoy dispuesto a percibir y recibir lo que es respecto a mi hijo, lo destruyo y lo descreo todo. Acertado y equivocado, bueno y malo, POD y POC, todos los 9, cortos chicos y más allás.*

Gary:

A veces los padres pueden comenzar a percibir la verdad acerca de sus hijos, lo grandioso, pero al mismo tiempo, quieren que su hijo encaje en las normas y expectativas de esta realidad. Están atorados en un punto de vista fijo respecto a como debe verse. Reconocen que sí, que ven los talentos y habilidades de su hijo y son sinceros al respecto, y después preguntan: "Entonces, ¿cómo hacemos para que sea normal? ¿Cómo hacemos que encaje?".

Dain:

Eso sería como tener a la mamá de Einstein preguntando: "¿cómo hacemos para que Albert se olvide de esta teoría de la relatividad en la que está trabajando y se haga un poco más normal?".

Gary:

Sí: "Albert, haz matemáticas regulares. No esas cosas raras". Es como si estuvieran intentando convertir a los Einstein del mundo en contadores de frijoles. No es posible; no funciona así, pero seguimos intentándolo, como si fuera a funcionar.

Dain:

Parece que nadie lo ve desde el punto de vista de: "¿Qué es posible aquí?". En vez de eso, todos dicen: "Estás jodido. ¿Cómo te hacemos normal? ¿Cómo disminuimos tu capacidad para que encajes con nosotros?". Es como tener gente que puede volar y deseamos evitarlo. Les compramos botas de plomo y, si resulta que son voladores realmente poderosos, aún con las botas de plomo puestas, les compramos trajes de plomo.

Gary:

En los Estados Unidos, hemos adoptado un punto de vista de cadena de producción en masa. Estampamos un producto y lo hacemos una y otra vez. Tenemos comida y restaurantes producidos en masa. Puedes ir a un McDonald's, un Kentucky Fried Chicken o un Pizza Hut en cualquier lugar del mundo y obtener el mismo producto. Sea lo que sea, los hacen todos iguales. La necesidad de hacer todo igual le ha quitado el valor a la individualidad.

Todos aprendemos singularmente y, lamentablemente, la idea de ser único y aprender singularmente está pasada de moda. Favorecemos el sistema de molde de galleta. Y vamos en camino hacia la destrucción. Estamos consumiendo el planeta lo más rápido posible, que es la razón por la que los X-Men pueden tener algo muy importante que decirnos acerca de que el hecho de no ser normales es algo muy bueno.

Dain y yo pasamos algún tiempo con un joven autista en Perth quien tiene una capacidad asombrosa para trabajar con barro. Forma enormes y bellísimos dinosaurios en tres minutos. Su madre nos buscó porque la estaba pasando muy mal con eso. Ella quería que fuera "normal".

Dain:

Le dijimos a la madre: "¡Él es tan brillante!"

Gary:

La madre dijo: "Pero no habla".

Le pregunté: "¿Requiere hablar para que sepas lo que está haciendo?".

Ella dijo: "Bueno, no, pero debe hablar para ir a la escuela".

Le dije: "Bueno, tal vez en este momento, pero esperemos que llegue el momento en que no sea una necesidad.

Después de trabajar con el niño, nos vio directamente a los ojos. Él estaba diciendo: "Gracias, gracias, gracias".

Entonces se trepó al regazo de su madre y la abrazó. Ella rompió en llanto porque el niño de ocho años nunca había trepado a su regazo para abrazarla. Era un cambio enorme.

Era lamentable que esta madre estuviera tan enfocada en que su hijo aprendiera a funcionar de forma lineal, porque el niño podía ser un artista extraordinario con su capacidad artística. Lamentablemente, su capacidad artística nunca será desarrollada, porque, en lugar de ver lo que sí puede hacer sus padres y profesores están intentando desarrollar sus habilidades lineales para hacerlo más como los demás. No valoran la diferencia que es; de hecho, le temen. Una gran parte de nuestro sistema escolar tiene miedo de lo que es diferente.

Los padres con un interés específico en tener un niño "incapacitado".

Tuve una niña en una de mis clases en Nueva York que tenía esquizofrenia paranoide. Ella era un portal, un punto de entrada para entidades. Durante la clase, cerramos portales, y las entidades que estaban por ahí se alejaron. Eso hizo su vida mucho más fácil.

Un par de días después, fui a almorzar con el psiquiatra de la niña y con sus padres. El psiquiatra quería saber lo que había hecho porque en un fin de semana había obtenido un resultado que él no había podido obtener en toda una vida.

Le dije: "Cerramos los portales y le enseñamos a lidiar con entidades".

La madre se volteó hacia mí y dijo: "No, no es lo que tú hiciste". Después volteó hacia el psiquiatra y dijo: "Son las drogas que le has dado, finalmente le diste los medicamentos correctos".

El psiquiatra la miró y pensó: "Oh, ahora ya sé cuál es el problema".

Yo también sabía cual era el problema. La mamá quería que su hija estuviera discapacitada. No quería que su hija pudiera manejar su propia vida.

Los padres como esta madre pueden molestarse cuando le quitas a su hijo sus supuestas incapacidades. Quieren probar lo mucho que les importan sus hijos mostrando lo especiales que sus hijos son. Consideran valioso el que sus hijos tengan una etiqueta. Eso les da a alguien que nunca los abandonará. Así tendrán al niño para siempre. Y no quieren reconocer que podrían tener una posibilidad distinta.

¿Qué sucede en casos como este, donde los padres están aferrados a que su hijo X-Men sea "normal" o "especial" en vez de quien verdaderamente es? No están percibiendo, viendo o recibiendo al ser increíble que está frente a ellos. Encuentran equivocaciones en su hijo que están ya sea resistiendo o rechazando o bien a las que se alinean y aceptan. Pero ¿qué tal si, para empezar, no hubiera equivocación?

Trabajé con un niñito en Perth quien tocaba los muebles todo el tiempo. Lo habían llevado a muchos psicólogos, y con personas que le hacían pruebas y lo evaluaban. Me senté con él y dije: "No estoy aquí para hacerte pruebas. No estoy aquí para hacer nada, excepto hablarte de lo que puedes hacer y de que no hay nada malo en ti".

Él no quería tener esta conversación. Se sentó conmigo un rato y después se estiró a tocar los muebles. Lo vi durante un par de minutos y le pregunté: "¿Qué información obtienes de los muebles al tocarlos?".

Nadie había jamás reconocido eso. El niño pensó: "¡vaya! ¡Esta persona capta algo diferente a los demás!".

Le pregunté: "¿Te das cuenta de que realmente eres como Harry Potter? Tienes magia en que puedes tocar las cosas y estas te hablan".

El niño pensó por un momento y dijo: "sí, así soy".

Dain:

Todos hacían de mis habilidades una equivocación. ¿Se imaginan lo que sería para ustedes si tuvieran una habilidad asombrosa y todo el mundo los viera como raros, incapacitados y equivocados? ¿Cómo andarían por el mundo? ¿Expandirían sus habilidades o las cerrarían lo más posible?

Gary:

¿Ayuda a un niño cuando la gente lo ve como incapacitado o disfuncional? ¡No! Estos niños tienen dolor y sufrimiento innecesarios porque seguimos intentando hacerlos finitos en vez de ver sus verdaderas capacidades. Les proyectamos que son incapacitados, estúpidos, equivocados y diferentes a los demás. Ellos captan eso, aun cuando no se les diga en voz alta.

Alguien dice que los niños están discapacitados y ellos intentan convertirse en quienes les han dicho que son. Tienes el título, ahora juega el juego. Una maestra alguna vez me dijo que tenía chicos en su clase a quienes les decían que tenían TDA. Para ella era claro que no sufrían de TDA, pero empezaban a mimetizar el comportamiento de los chicos que sí lo tenían. Ella me comentó: "Este es un gran problema. ¿Cómo lidiarías con esto?".

Le dije: "El diagnóstico es mortal. Si puedes mostrarles a los chicos que no ves sus habilidades como discapacidades, eso puede hacer una gran diferencia para ellos. Para empezar, puedes preguntar a los niños si realmente están discapacitados o si tienen una habilidad". Muchas veces saben que tienen habilidades extraordinarias, y hacerles esta pregunta les permite saber lo que saben.

En el análisis final, lo más importante que puedes hacer tú, como padre o maestro, para asistirles es reconocer que los niños, todos los niños, son seres infinitos con una habilidad infinita de percibir, saber, ser y recibir. Esto es especialmente verdad para los niños con autismo, TOC, TDA, TDAH y todas las otras etiquetas porque realmente tienen habilidades especiales.

Anne:

He trabajado con muchos padres que han aceptado las etiquetas y diagnósticos colocados a sus hijos, no necesariamente porque creen en ellos sino porque no sabían que había otra forma de verlos. Estaban funcionando desde el espacio de hacer lo mejor que podían con la información que estaba disponible en el momento. Aún aquellos que parecía que se comportaban como si necesitaran que su hijo tuviera un problema o incapacidad, a veces cambiaban su forma de operar cuando se les presentaba otra posibilidad. Estoy dispuesta a mantenerme ahí con los padres que siguen viniendo a verme, aun cuando parezca que no hay mucho cambio en el momento. Los que están casados con la noción de que su hijo está mal son quienes dejan de venir a verme, no porque los rechace, sino porque no concuerdo con su posición de que haya algo mal con su hijo o con ellos.

¿Cómo trabajo con los padres? Siempre les pregunto lo que les gustaría obtener de mí como terapeuta de sus hijos. Y no tomo una posición respecto a cualquier cosa que digan. Hago un montón de preguntas y muchos de ellos son capaces de moverse a un espacio diferente en lo relativo a sus hijos. Algunos eligen no hacerlo. Algunos se mueven rápidamente, otros toman mucho tiempo. Tuve a una madre que me agradeció recientemente por no juzgarla por ser tan resistente a cambiar y por ser paciente con ella. Como dice Gary: "¡Lo entiendes cuando lo entiendes!".

¿Separación o integración?

Gary:

He estado preguntando si es mejor o no para los niños X-Men ser integrados en la escuela con los llamados niños normales, o si es mejor estar en el salón de clases con niños más parecidos a ellos. Mi perspectiva es que, probablemente, ayuda más separarles y darles herramientas para lidiar con el mundo y entender que tienen habilidades, no incapacidades. Entonces, pueden ser integrados con los demás niños, conforme estén dispuestos a ser integrados. Si les preguntas, ellos te dirán cuando desean ser integrados con los otros niños.

Dain:

Tal vez es más fácil para los niños más jóvenes ser integrados con los otros niños en los salones porque los niños pequeños no saben lo que significa "discapacitado" así que no proyectan tanto esa etiqueta sobre sí mismos, sin embargo, comenzarán a hacerlo cuando los maestros y los padres lo hagan.

Gary:

Sabemos de algunos niños que han elegido ser integrados. Inicialmente no deseaban estar en clases con los demás niños porque no les gustaba lidiar con los otros niños que los veían como discapacitados".

Su maestra les dijo: "Oye, eres más como Harry Potter, más como los X-Men".

Ellos preguntaron: "¿Lo soy?".

Ella dijo: "Sí, eres mutante".

Los niños entonces dijeron: "Oh, vaya, genial". Estaba bien para ellos ser mutante, porque los niños en las películas de los X-Men son totalmente geniales y no funcionan como los demás. Este pequeño truco hizo posible para ellos estar con otros niños aun cuando los demás se burlaban de ellos por ser "especiales".

22

El lenguaje de la energía

El idioma predominante de la vida es la energía.

~Gary Douglas

Anne:

Una de las primeras preguntas que recuerdo haber escuchado de un facilitador de Access Consciousness fue: "¿Y si tu primer idioma fuera la energía?". ¡Ahora tenía sentido para mí! Siempre me había preguntado como había sido capaz de calmar bebés sin decir una palabra cuando era una niña de cuatro años. ¿Y si era el idioma de la energía que estábamos hablando?

Cuando tus hijos eran bebés, ¿sabías la diferencia entre un llanto de cansancio, uno de pañal sucio y uno de hambre? Antes de que se desarrollara el vocabulario de tu hijo, ¿eras capaz de saber lo que necesitaba? ¿Eras capaz de comunicarte? Eso es lo que llamo el idioma de la energía. No es verbal y ciertamente no es cognitivo. El lenguaje de la energía sobrepasa a tu cerebro lógico y va a lo que es subyacente, que es el núcleo de lo que está siendo comunicado.

Después de la muerte de mi padrastro, mi mamá vivió conmigo y con mi marido durante sus últimos dos años de vida. Tenía demencia profunda y durante ese tiempo se afectaron tanto su memoria de corto plazo como la de largo plazo. Tenía tres preguntas favoritas que hacía, como si fueran un ciclo: "¿Qué hora es?", "¿Qué día es hoy?" y "Dónde está Josie?" (Josie era su gato). Y desde que la respuesta dejaba tus labios ella nunca podía recordar la respuesta, jamás.

Ella se molestaba periódicamente y decía cosas como "¿Por qué sigo viva? ¡He vivido demasiado! ¡Ya no quiero estar viva!" Le pregunté al capellán del asilo sobre lo que podía decir a mi mamá que la calmara y él describió algo a lo que se refirió como "conversaciones del corazón". Desde mi perspectiva, estas conversaciones tenían menos que ver con el corazón y más con comunicar la energía.

Así, le dije: "No sé porqué sigues aquí mamá. Estoy feliz de que sigas aquí. No quiero que te vayas ni un minuto antes de lo que te gustaría, ni que te quedes ni un minuto más de lo que quieres. Sabrás cuando es el momento, y haré lo que pueda para asistirte". Y como ella era mi mamá, le aseguraba que estaba feliz, que nunca la olvidaría y que estaba agradecida con ella. Le agradecía todo lo que había hecho por mí.

Su alivio era visible. Su cuerpo se relajaba, desaparecía la preocupación y no volvía a preguntar eso durante varios meses. Y cuando lo volvía a preguntar, decía lo mismo, con los mismos resultados, hasta que eligió irse.

A pesar de que usaba palabras para comunicarme con ella, es claro para mí que lo que ella recibía era la energía de mi comunicación, de una manera similar a los bebés llorosos a quienes podía calmar siendo niña.

Dain:

¿Le has dado un abrazo a alguien alguna vez y has sentido que podías quedarte ahí para siempre, derritiéndote con la persona a la que abrazabas? Y, por el contrario, ¿has alguna vez abrazado a alguien que parecía una roca con piernas? ¿Son distintas estas dos experiencias? Entonces sabes a lo que me refiero cuando hablo de la energía. Estas son experiencias energéticas totalmente diferentes, dos "energías" totalmente distintas.

Es así de simple.

Gary:

¿Cuál es la base del universo? La energía. Cada partícula del universo tiene energía y consciencia. La energía es la sustancia por la que ocurre la transformación. La energía está presente, es mutable y cambiante por petición.

Das y recibes mucha más comunicación energéticamente de lo que haces con las palabras, pero si eres como la mayoría de la gente, eres básicamente inconsciente de lo que comunicas con tu energía. Estamos intentando ver si podemos abrir la comunicación que tienes con tus hijos, para que puedan comunicarse a nivel energético. Anne hace esto en su trabajo todo el tiempo. Cuando está en una sesión con niños, a veces usa imágenes para comunicar y a veces no, pero nunca es solo una comunicación lineal con palabras. Siempre es una comunicación energética instantánea que va de ella al niño. Es: "¿Qué haces? Aquí estoy. Estoy aquí contigo".

Los niños autistas son excelentes comunicándose energéticamente. Esta es una de las áreas donde somos mucho menos conscientes de lo que ellos son. Estos niños tienen una intensa consciencia de las energías en una sala. Es mucho más intenso de lo que la mayoría de nosotros puede manejar.

Dain:

Si tu hijo es no verbal, solo reconoce desde donde funciona.

Anne:

Y reconoce lo que está captando. Por ejemplo, si hay preocupaciones financieras o preocupaciones respecto a un abuelo, fingir que eso no está ocurriendo es un error. Los niños son mucho más capaces de captar la energía de lo que está sucediendo de lo que la mayoría de nosotros creemos que son. Aún cuando tu hijo sea no verbal, puedes hablar con ellos como yo lo hacía con mi mamá y tu hijo lo entenderá. Ciertamente no necesitas compartirle detalles innecesarios pero, al reconocer la energía de lo que sucede, le das a tu hijo el regalo de su consciencia.

Gary:

Los niños lo captan. Especialmente los niños con autismo. Cuando la energía de una situación no va con las palabras que se dicen, se confunden y pueden responder en una variedad de formas, desde agitarse de forma extrema hasta callarse y evadirse. Para ellos, el mundo es un lugar insano donde la gente piensa algo diferente a lo que sale de sus bocas y donde lo que la gente piensa no se parece a lo que hace.

Los niños autistas sienten todo eso, pero no pueden hacer que tenga sentido. No pueden crear ningún orden al respecto en sus universos. Cuando comienzas a hablar de esto con ellos, el caos en su universo comienza a enderezarse. Ellos comienzan a darse cuenta: "Oh, no tengo que hacer nada al respecto. Realmente no importa". Cuando captan que hay alguien con quien pueden vincularse y comunicarse, eso comienza a darles una sensación de paz. Empieza a desaparecer mucha de su agitación.

Dain:

Si tu hijo es no verbal, solo reconoce desde donde funciona. Si eres el padre o el maestro de un niño autista o alguien que interactúa con niños autistas, puedes decir: "Oye, ¿sabes qué? Comunicarse con energía es una habilidad. Casi nadie lo entiende. Podemos practicar para que seas capaz de comunicarte con el mundo exterior". Les provees una forma de comenzar verdaderamente a comunicarse con el resto del mundo.

Un experimento

Una amiga que trabaja con niños con necesidades especiales en el sistema de educación pública me contó de un "experimento" que hizo, conectando a los niños con su propio espacio. Ella quería jugar con la comunicación energética para ver si realmente funcionaba.

Ella decidió que no iba a hablar cuando fuera al salón de clases a trabajar con algunos niños. No intentaría hacer contacto visual con ellos. Solo iría del frente al final del salón, donde están las computadoras y se sentaría en una de las computadoras. Su idea era ver si podía conectar energéticamente con los niños sin usar palabras, contacto visual o lenguaje corporal.

Así, se sentó al fondo del salón en una computadora y solo pidió ser espacio y conectar con los niños. En menos de 30 segundos, un joven estudiante que estaba a unos tres metros volteó, la miró a los ojos y le dijo: "Te amo".

Mi amiga dijo: "Estaba dispuesta a ir a donde él estaba y solo ser el espacio y eso se convirtió en la invitación para que él conectara conmigo.

Anne:

Cuando hablo de comunicarse con energía, mucha gente con la que hablo dice que no se pueden comunicar así. ¿Y si eso no fuera cierto? De hecho, aun cuando no somos conscientes de ello, ¿no es esa la forma primaria en la que nos comunicamos?

Toma, por ejemplo, algún momento en casa que pudo estar lleno de drama y molestia, como salir de casa en la mañana. ¿Qué sucede energéticamente en tu casa cuando suena la primera alarma? ¿Y la segunda? Entonces, ¿qué tal cuando es momento de despertar a tu hijo, quien preferiría no dejar la cama o la casa? Y así… ¿No hay un patrón energético que ha sido establecido que se traduce en las mañanas son horribles? ¿Puedes sentir la energía entre todos los miembros de tu casa, la energía de aquí vamos de nuevo?

También, toma como ejemplo algún momento con tu hijo que haya sido dulce, fácil y gozoso, como jugar en un lago o una piscina, leer un libro juntos o solo estar en la misma habitación en paz. ¿Puedes captar esa energía? ¿Ves como se estaban comunicando energéticamente entre ambos?

23

Consejos y herramientas para tener éxito en la escuela

Dame la respuesta.
Nos entrenan a tener la respuesta desde que vamos a la escuela.
~Gary Douglas.

Anne:

En la actualidad el sistema educativo funciona desde la mentalidad de "aprende esto, repite esto, dilo como loro, aprende esto, repite esto, dilo como loro". ¿Es eso aprender o programar? Básicamente, las escuelas están programando a los niños a ser buenos ciudadanos; los entrena a trabajar bien con el resto del mundo y a no hacer olas.

Uno de los objetivos que tenemos en Access Consciousness es hacer escuelas que ayuden a los niños a acceder a su saber. Hemos encontrado a varios estudiantes, aún en escuelas del sistema educativo regular quienes tienen la habilidad de saber instantáneamente la respuesta a una pregunta matemática, pero que no pueden demostrar los pasos para obtenerla, esos pasos no existen para ellos porque simplemente saben la respuesta. Esto puede suceder también en la ciencia o cualquier otra área. El niño ve un problema o una pregunta y ¡bam! ya tiene la respuesta.

Los maestros tienden a criticar a estos niños. Como resultado, los niños frecuentemente creen que están mal porque sabían, pero no podían probar su respuesta o decir como habían llegado a ella. Si nosotros, como padres, maestros y educadores podemos llegar al punto donde reconocemos que, como seres, nosotros podemos funcionar así desde nuestro saber, podemos cambiar todo el sistema educativo.

Herramienta: ¿Estás obteniendo la respuesta tan pronto como te hacen la pregunta?

Dain:

Si tienes un hijo que tiene problemas en ciencias, matemáticas o en cualquier otra área donde tiene que dar respuestas a preguntas, lo primero que hay que preguntarle es: "¿estás obteniendo la respuesta a esa pregunta tan pronto como te hacen la pregunta o tan pronto como la lees?".

En cierto momento, la hija menor de Gary estaba obteniendo C y D en ciencia y matemáticas. Ella me preguntó: "¿serías mi tutor?".

Yo pensé: "¿Es broma?" No tenía idea de como ser tutor de alguien, pero dije: "Bien, veremos como funciona esto".

Nos sentamos juntos y dije: "Resuelve algunos de estos problemas para mí. Déjame ver a donde va tu cabeza y qué es lo que pasa". Me di cuenta de que tan pronto como ella leía una pregunta, una respuesta surgía en su cabeza. Podía sentirlo energéticamente. Ella leía, leía, leía y estaba en modo pregunta y de pronto había un "pop" energético cuando ella obtenía la respuesta. Pero en vez de confiar en su saber, intentaba descifrar la respuesta, porque nadie nunca le había dicho: "Oye, puede que la respuesta solo surja en tu cabeza. Está bien".

Así, en vez de colocar la respuesta que sabía, intentaba descifrar una respuesta, y se equivocaba la mayoría de las veces. Ella ya tenía la respuesta, pero no confiaba en ella. Era asombroso ver esto en acción.

Hice que leyera la pregunta y la detenía tan pronto como veía que surgía la respuesta. Le decía: "Bien, ¡detente! ¿Qué obtuviste? Escríbelo". Ella escribía la respuesta y siempre era la respuesta correcta o parte de esta. Sucedía instantáneamente, pero entonces ella intentaba descifrarla o 'probarla' y ahí es donde se metía en problemas.

Se sentía tonta y desesperada; pensaba que no sabía nada de los temas que estudiaba, pero cuando vio que sí tenía las respuestas, se dio cuenta de que sabía un montón.

Expandiéndose

Anne:

Durante el día escolar, típicamente se les pide a los niños que pongan atención y que se enfoquen, lo que significa que tienen que contraer sus universos y su consciencia. Cuando esto sucede, los eventos pueden hacerse importantes, significativos o densos y resultan molestos e incomodos. Por ejemplo, cuando un maestro de matemáticas lento no entiende como un chico X-Man veloz hizo un problema de matemáticas, el niño X-Man podrá creer que el maestro de matemáticas cree que es estúpido y equivocado, y puede entonces molestarse o encerrarse en sí mismo.

Yo le pediría al niño que se expanda, estando consciente de que el maestro de matemáticas es lento y él es veloz como rayo. Cuando los niños se expanden, lo que sucede a su alrededor se hace menos significativo y ganan consciencia y claridad acerca de lo que es. Se deshacen de la pesadez y la contracción del juicio y la equivocación y se convierten en espacio. Así, el niño verá que no está equivocado y que el maestro de matemáticas no está equivocado; ambos piensan y se comunican de forma distinta. El niño entiende que no necesita cambiar quien es y que tal vez pueda explicar en lenguaje que su maestro entienda los pasos que tomó para obtener la respuesta correcta.

Trabajando con los problemas al revés

A veces, la mejor manera de hacer esto es trabajar con el problema al revés, o de una forma no lineal. Pide al niño que comience con la respuesta y que de ahí se mueva hacia el inicio del problema matemático.

A veces, eso es suficiente desplazamiento para que encuentren palabras para describir al maestro como llegaron a su respuesta. Los niños X-Men no van del punto A a los puntos B, C, y D en ese orden. Me dicen que obtienen un poco de aquí, después un poco de allá. Es algo fuera de secuencia desde la perspectiva de esta realidad, pero tiene total sentido para ellos, y sus respuestas son correctas. Por supuesto, se requiere de un maestro de matemáticas que esté dispuesto a salirse de las reglas de como se supone que se deben enseñar y aprender las matemáticas. Cuando los maestros están dispuestos a escuchar y ver lo que es, muchas veces lo entienden.

Herramienta: ¿Cuál es tu primer idioma?

Gary:

Trabajé con un niño americano que había hablado inglés toda su vida. Iba a una escuela judía y estudiaba inglés y hebreo. Tenía A en hebreo y hablaba como nativo, pero estaba reprobando en su clase de inglés. No podía comprender lo que sucedía.

Le pregunté: "¿Cuál es tu primer idioma?". Hacer esta pregunta es una forma de invitar a la gente a la consciencia de lo que es su primer idioma. A veces la respuesta correcta es que su primer idioma es la energía. Otras veces, cuando una persona está bloqueada para acceder un idioma específico, la pregunta les invita a tener la consciencia de cual fue su primer idioma hablado.

Él contestó: "hebreo".

Destruimos y descreamos todo lo que impedía que el inglés fuera como un primer idioma para él, no un primer idioma, sino como un primer idioma, donde el sabía todas las vidas en donde tuvo esa información disponible.

También destruimos y descreamos todas las vidas donde había sabido inglés y había sido capaz de escribir en inglés y hablarlo fluidamente, incluyendo las veces que había sido profesor de inglés. Esto le permitió limpiar todas sus decisiones, juicios, conclusiones y puntos de vista fijos acerca de hablar y escribir inglés de esas vidas. Y finalmente, destruimos y descreamos todo lo que le impedía saber que podía hablar y escribir en inglés tan bien como podía hacerlo en hebreo. Casi instantáneamente cambió y comenzó a obtener A en inglés.

Herramienta: Destruye y descrea todo lo que...

También puedes enseñar a estos niños a destruir y descrear todo lo que les impide leer a 300 palabras por minuto y retener todo lo que han leído, o todo lo que les impide percibir, saber, ser y recibir la totalidad de cada página instantáneamente, o todo lo que les impide saber las respuestas de las pruebas en seguida. Puedes pedirles a tus hijos que digan:

Todo lo que me impida leer a 300 palabras por minuto, y retener todo lo leído, lo destruyo y lo descreo todo. Acertado y equivocado, bueno y malo, POD y POC, todos los 9, cortos, chicos y más allás.

Herramienta: Entrar a la cabeza del maestro

Cuando los niños estudian para una prueba, déjales saber que pueden sacar la respuesta de la cabeza de su maestro. Diles: "cuando tomes una prueba, entra a la cabeza del maestro y pregunta qué respuesta es correcta, de acuerdo con el maestro. Puedes sacar la respuesta de su cabeza".

He tenido chicos que hacen esto y me llaman y dicen: "Gracias Gary, saqué A en la prueba".

Les digo: "¡bien!" Conozco a una joven dama que saca solo A en su primer año de universidad porque saca las respuestas de la cabeza de sus maestros. Cuando tiene que escribir un ensayo, dice. "Bien, todo lo que el maestro quiere que sepa, que sé, déjame tener la información". Comienza a escribir sin pensar acerca de lo que está escribiendo y saca A en cada examen. Esta es una habilidad que tenemos todos. Por tanto, deberíamos usarla.

Cuando reconoces los talentos de tus hijos y su habilidad de saber, pueden desempeñarse más fácilmente en la escuela. Estarán dispuestos a decir: "Bien, voy a tomar la respuesta de la cabeza de otras personas. Sé esto y sé aquello".

Dain:

Tengo que decir que pensé que Gary decía tonterías cuando escuché esto por primera vez. Había estudiado duro en la escuela y me gradué con honores. Cuando escuché a Gary hablar de la habilidad de sacar información de la cabeza de los demás, mi actitud fue: "¡Vamos! No hay forma. ¡No se puede hacer eso!".

Entonces comencé a hablar con algunos niños en Access Consciousness. Les pregunté: "¿Han probado esto?".

Dijeron: "Sí".

Les pregunté: "Bueno, ¿y funciona?".

Dijeron: "Sí y la escuela es mucho más fácil".

Yo pregunté: "¿Y estás aprendiendo cosas?".

Dijeron: "Sí, de hecho, aprendo más".

Yo pregunté: "¿De verdad? ¿Cómo que aprendes más?".

Gary:

Ellos dicen cosas como: "no tengo que intentar recordar" y "no tengo que atascarme todo el material y no me pongo frenético antes de un examen porque siempre sé que tendré la respuesta".

¿Eres uno de esos que hacían la versión de "estudiar hasta la media noche"? ¿Cómo te funcionó? ¿Recuerdas y usas algo de esa información?

Dain:

Estaba estudiando economía de los negocios cuando fui a la universidad porque era la carrera más fácil que pude encontrar. En una de mis clases realmente aburridas, solo fui a clase tres veces; el primer día de clases, el día del examen parcial y el final. Sin darme cuenta, hice exactamente eso de lo que habla Gary. Cuando estudié los materiales pregunté: "¿Qué es lo que el profesor quiere que sepa de esto?" Ahí estaban tres conceptos de todo el semestre de material que el quería que todos supieran, y por casualidad justo fueron los que estudié.

Gary:

"¿Por casualidad fueron los que estudiaste?".

Dain:

"Qué raro, ¿verdad?".

Gary:

"No, no es raro. Estudiaste esos tres conceptos porque hiciste la pregunta: "¿Qué querrá el profesor que sepa de esto?".

Enseña a tus hijos a hacer la pregunta que les dará la consciencia de lo que necesitan estudiar, no estudiar todo, pensando que van a reprobar si no tienen la respuesta que se requiere.

Herramienta: ¿Qué debo saber aquí, para pasar la prueba?

Aquí hay otra herramienta que puedes enseñar a los niños cuando están leyendo sus libros de texto: ¿Qué debo saber aquí para pasar la prueba? Cuando usas esta herramienta, conforme lees, de pronto, tus ojos se enfocan en lo que necesitas saber, y dirás: "¡Bien! Eso es lo que recordaré".

Dain:

Solo haz esa pregunta: "¿Qué tendré que saber aquí?". Conforme lees el material, tu cerebro recogerá y guardará la información que requieres para pasar la prueba. Esa es la forma en que tu cerebro funciona. Haces la pregunta y tu cerebro dice: "Oye, aquí estoy para cumplir".

Gary:

Cuando tú, el ser, hace la pregunta, serás capaz de saber exactamente lo que necesitas saber.

Dain:

Es parte de eso de "Pide y se te concederá".

Herramienta: ¿Qué necesita el maestro que coloque en este ensayo?

Gary:

Hablé con una madre cuya hija tiene TDAH. La niña tenía un deber de escribir un ensayo y lo había ya escrito en su cabeza, pero no podía ponerlo en una hoja de papel.

Le dije a la madre: "Haz que tu hija pregunte: ¿Qué quiere la maestra que ponga en el papel? Dile que haga esa pregunta y entonces deje ir su punto de vista y solo comience a escribir. Descubrirá que sabe mucho más de lo que piensa que sabe, y todo estará ahí. Se hará fácil".

Dain:

Esta herramienta es muy útil para los niños que tienen problemas escribiendo un ensayo. Pueden tener que repetir la pregunta varias veces conforme escriben, pero cada vez que preguntan, el proceso de escribir se hace más fácil.

Gary:

Puedes también hacer trampa entrando en la cabeza del maestro y preguntando lo que él sabe que tú puedes saber.

Dain:

Cuando decimos "haz trampa en la escuela" queremos decir haz trampa desde la consciencia. No hagas trampa desde la inconsciencia.

Gary:

No copies el trabajo de alguien más, porque si haces eso, tendrás la respuesta equivocada. En vez de eso, pregunta qué es lo que el maestro sabe y que necesitas escribir tú. O pregunta: "¿Cuál es la respuesta que todos los niños que saben la respuesta correcta están dando?".

Si un niño con TOC tiene un amigo en el salón y ese amigo está en su sintonía, el niño con TOC escribirá la misma respuesta que su amigo, aún si está equivocada. Esto sucede todo el tiempo. Y entonces, por supuesto, si están sentados uno al lado del otro, serán acusados de hacer trampa. Pero no es hacer trampa.

Estaba hablando con el hermano menor del niño que era excelente en hebreo, pero iba menos bien en inglés. El hermano había apenas comenzado la escuela de hebreo y tenía problemas con eso. Le dije: "Lo que tienes que hacer es pensar en tu hermano y las palabras hebreas surgirán".

También le di un proceso que podía hacer:

> *Todo lo que me impida captar todo el hebreo que mi hermano sabe, sin tener que estudiarlo, y todo lo que me impida entrar a su cerebro para obtener la información que deseo, destruyo y descreo todo eso. Acertado y equivocado, bueno y malo, POD y POC, todos los nueve, cortos, chicos y más allás.*

Leer para los niños

Leer en voz alta para los niños es una gran forma de aumentar su fluidez. Cuando lees libros a niños autistas, ellos comienzan a hablar y leer de forma distinta. Sin embargo, la forma en que les leemos ahora es demasiado lenta para ellos. No puedes leerles un libro palabra por palabra. Debes darles una descarga de la página completa y hojear las hojas rápidamente.

En otras palabras, tú lees el libro con la consciencia de que tienes la habilidad de pensar todos los sonidos en la página. ¿Has notado alguna vez que piensas más rápido de lo que puedes hablar? De eso hablo. Cuando lees para tu hijo, piensa que estás diciendo todas las palabras en la hoja en alto, y hojea las páginas un poco más lento de lo que tu hijo lo haría (que es usualmente muy rápido). Es como si estuvieras leyéndole sin hablar. Dale al niño la imagen y las palabras que lees sin hablar. Dale al niño la imagen y las palabras exactamente al mismo tiempo. Es la forma de comenzar a abrir las puertas para que comience la comunicación.

Sugerí esto a una madre cuyo hijo de ocho años casi no hablaba.

Tres semanas después, me llamó y me dijo: "Mi hijo está leyendo. Más que eso, está hablando frases completas por primera vez en su vida".

Todo lo que hizo fue hojear las páginas del libro a la misma velocidad que él lo haría, mientras le daba una descarga de como sonaría si estuviera leyendo en voz alta, pero tan rápido como él podría. ¡Bum! ¡Bum! Estaba haciendo frases completas en ocho semanas.

¿Alguna vez has hecho un curso de lectura rápida? El objetivo es que leas la página completa de una vez para poder literalmente hojear las páginas y ver todo lo que está en las páginas. Al final del libro o del capítulo sabrás todo acerca de eso. Es la forma en que lo hacen los niños autistas.

En estos cursos de lectura rápida, comienzan moviéndote a través de la página muy lentamente, así que haz eso. Entonces aumentan tu velocidad conforme vas avanzando. O tal vez quieras jugar leyendo un libro al revés, hoja por hoja en sentido contrario y ver lo que sucede.

Hay muchas cosas diferentes con las que puedes jugar para ver cuáles podrían ser los resultados. Necesitamos hacer más investigación de este sistema porque solo hemos podido trabajar con algunos niños.

Anne:

Una amiga adulta nuestra nos dijo recientemente que nunca era capaz de leer de la izquierda a la derecha o de arriba para abajo. Ella dijo: "En vez de eso, recibo la energía de las palabras que necesito que mis ojos vean. Salen de la página y literalmente se hacen conocidas para mí".

Gary le dijo: "Es todo lo que necesitas saber. Y si te preguntas: "¿Qué quiere decirme esta página?".

Sé que de lo hablamos aquí puede sonar extraño o 'loco'. ¿Y qué crees? ¡Lo es! Y ¿qué más crees? ¡Realmente funciona! A pesar de que tal vez no te sientas cómodo con algunas partes de esto, intenta hacer algo diferente. Tal vez te sorprendas de los cambios que tú y tus hijos crean.

24

Todos tenemos las habilidades que tienen los X-Men

Nos hemos enfocado en los X-Men y sus habilidades, pero tú también funcionas desde ahí. Todos tenemos estas habilidades, pero cuando no las reconocemos, creamos nuestra propia limitación. Intentamos alinearnos con la normalidad de esta realidad.

~Gary Douglas

Gary:

Los X-Men y sus habilidades han sido nuestro foco en este libro, y hemos hablado de ellos a profundidad, pero queremos enfatizar que tú también tienes estas capacidades, a pesar de que aún no te hayas dado cuenta. Todos tenemos las habilidades que ellos tienen. Puedes tener muchos puntos de vista fijos acerca de cosas sobre las que piensas que no puedes hacer nada. Bueno, estamos aquí para decirte que puedes hacer algo al respecto.

¿Cuántas decisiones, juicios y conclusiones tienes acerca de lo que son el TDA, el TDAH, el autismo y el TOC? ¿Has concluido que son algo malo o una limitación? ¿O que no hay solución para eso? Todo lo que eso es, ¿lo destruyes y descreas para poder ver una posibilidad diferente, por favor? Acertado y equivocado, bueno y malo, POD y POC, todos los nueve, cortos, chicos y más allás.

Anne:

Si estás leyendo este libro, es probable que tengas talentos, habilidades y consciencias que se extienden mucho más allá de la capacidad de tu mente cognitiva.

¿Y si fueras más psíquico y consciente de lo que crees?

¿Cuántas veces has pensado en alguien, y esa persona te llamó o te envió un correo? O te los encontraste y dijiste: "Oh, ¡justo estaba pensando en ti!".

¿Cuántas veces has sabido exactamente lo que alguien estaba por decir antes de que lo dijera?

¿Piensas más rápido de lo que puedes hablar?

¿Alguna vez has sabido de antemano lo que sucedería, y sucedió?

¿Has pedido al universo alguna vez que te asista en obtener el dinero para algo que realmente querías tener o hacer, y lo hizo?

Cuando estabas en la escuela ¿tus maestros te escribían en tu boleta: "No está a la altura de su potencial" o bien "no termina lo que inicia" o "tiene dificultad para enfocarse y concentrarse" o también "es impulsivo, dice cosas sin pensar"?

¿Alguna vez alguien te llamó raro?

¿Has intentado desesperadamente encajar y después has renunciado y te has resignado a una vida de ser quien se ríe en el momento inoportuno, quien hace el comentario que calla al grupo y se viste de forma "inapropiada" (aun cuando seas la envidia de todos los que se quieren vestir como tú, pero no tienen la valentía de hacerlo)?

¿Te juzgas sin parar por ser tan diferente?

¿Te vuelves loco de aburrimiento a menos que estés moviéndote, aprendiendo algo nuevo y creando más allá de lo que se considera aceptable?

¿Cuántos libros estás leyendo al mismo tiempo?

¿Y si no hay nada mal en ti? ¿Y si diferente es solo diferente, no equivocado? ¿Hay una forma en que puedes usar esa diferencia para tu ventaja? ¿Cómo sería eso?

¿Alguna vez te preguntas la razón por la que la gente dice algo cuando claramente quieren decir otra cosa?

¿Te preguntas alguna vez como es que la gente puede ser tan cruel y salirse con la suya? Y qué decir de la gente amable, ¿por qué son tratados tan mal?

¿Alguna vez te sientes como si tu cabeza fuera a explotar de toda la locura que ves, que todo el mundo parece pensar que es normal?

¿Alguna vez has sido capaz de estar sentado quieto? ¿Jamás?

¿Has sido capaz alguna vez de hacer que tu mente tenga un solo pensamiento a la vez? ¿Jamás?

¿Siempre has tenido un toque mágico con los niños y los animales? ¿Eres uno de los que ellos saben que los respalda?

Si eres un maestro o trabajas en el sistema escolar, ¿eres uno de los maestros a los que los niños les da gusto ver?

Ya sea que eres padre o no, ¿eres el que atrae a los niños?

¿Has sabido siempre que algo más era posible, aún sin saber qué o cómo?

Aquí tienes algunas herramientas que puede usar para adentrarte en lo que sabes:

Herramienta: Energía, Espacio y Consciencia

Pregunta:

> *¿Qué energía espacio y consciencia podemos ser mi cuerpo y yo que nos permitirá ser la energía, el espacio y la consciencia que verdaderamente somos en la escuela, en la casa, con los niños, en el trabajo o donde quiera que estemos?*

Todo lo que lo impida, lo destruyo y descreo todo. Acertado y equivocado, bueno y malo, POD y POC, todos los 9, cortos, chicos y más allás.

Mi amiga Trina hace esta pregunta antes de entrar a un salón. Ella dice que no importa cuán caóticos y agitados estén los niños, en un par de minutos, los niños se calman y el salón de clases se hace más pacífico.

Herramienta: Sal del juicio

Cada vez que te sorprendas juzgándote a ti mismo o teniendo un punto de vista de lo que alguien más debería o no hacer, haz POD y POC de todo eso. Di:

Todo lo que esto es, lo destruyo y descreo todo. Acertado y equivocado, bueno y malo, POD y POC, todos los 9, cortos, chicos y más allás.

No tienes que definir lo que es "esto". Tienes la energía de la densidad de la limitación y puedes destruirla y descrearla toda sin etiquetarla.

Herramienta: Elige

Tus elecciones no tienen que durar por siempre. Si eliges algo y no funciona, puedes elegir algo más. Por ejemplo, si eliges llevar a tu hijo al cine y pronto te das cuenta de que él no va a soportar ver toda la película, puedes elegir algo más. Si te sientes enojado o asustado puedes elegir algo más, como hacer una pregunta como: "¿A quién le pertenece esto?" o usar el enunciado aclarador.

Herramienta: ¿De qué soy consciente / de qué me estoy dando cuenta?

Cuando comiences a pensar, analizar, buscar respuesta o intentar descifrar las cosas, pregunta: ¿Qué sé, que estoy fingiendo que no sé? Puedes sorprenderte de lo que surge. Posiblemente no será lineal o lógico y no se parecerá a nada de lo que pensaste que sería. Confía en lo que sabes, ¡aún si parece no tener sentido!

Epílogo

Anne:

El siguiente intercambio entre Gary, Dain y Crystal, una chica autista que entonces tenía diecisiete años sucedió en una clase reciente de Access Consciousness.

Crystal: (hablando con trabajo) Soy Crystal… (sin aliento) Soy autista… y al crecer… tuve la bendición de tener una familia súper intuitiva… realmente no tenía que hablar… Y básicamente, no lo hice nunca… Fue gracias a mi abuela, quien se dio cuenta y le dijo a mi mamá: "Tienes que enseñarle a hablar", Que siquiera aprendí… (larga pausa)… Debo agradecerles a ustedes porque desde Access… mi vida ha cambiado realmente… salgo… tengo amigos… tengo una vida, estoy empezando a funcionar realmente…

Gary: ¡Sí!

(Suaves risas y "síes" en la audiencia)

Crystal: Pero a veces aún…

Gary: Tú mamá está llorando…(risas)… Está feliz por su hija…

Crystal (sin aliento): Hay veces que, como que me congelo… solo parece que no puedo llegar al punto de ser capaz de hablar en ciertas situaciones… o funcionar…

Gary (con gran amabilidad): ¿Puedo decirte algo?

(Crystal asiente)

Gary: Tienes habilidades extremas, no incapacidades, así que tu incapacidad de hablar tal vez no tenga nada que ver contigo. Tal vez es la incapacidad de escuchar de los otros.

(Crystal suspira audiblemente)

(La audiencia aplaude)

Dain: Entonces, tengo una pregunta… ¿El español es tu primer idioma?

Crystal (sin dudar): No tengo un primer idioma.

(La audiencia ríe)

Dain: Au contraire…

Gary: Este es tu primer idioma. La consciencia es tu primer idioma.

Participante en la clase: También habla mandarín, español e inglés.

Crystal (sonriendo suavemente): Y algo de danés y japonés.

Gary: Ven de lo que hablo, ¿habilidades extremas? Yo apenas puedo hablar algo de español y un poco de inglés.

Crystal (hablando lentamente): Mi pregunta es… ¿cómo manejo esas situaciones?

Gary: Reconociendo que cuando no puedes hablar, es porque la gente no puede escucharte. No es porque tú no puedas hablar. Y lo sabes. Tienes un nivel de consciencia que pocas personas en el planeta tendrán jamás, y tienes que estar dispuesta a reconocerlo. Eso te dará la libertad para saber cuando hablar y cuando no.

Crystal: ¿Hay algo que pueda hacer en situaciones como esas? ¿Que la gente pueda recibir?... No quiero parecer grosera… al no contestar.

Gary: Solo diles: "Lo siento, no puedo contestar ahora" o "Luego te digo" o "¿Sabes?, tengo que pensarlo, dame un par de días". Para entonces habrán olvidado y tú no tendrás que contestar. Apréndete esas frases.

Crystal (riendo): Gracias.

Anne:

Crystal ahora estudia en una universidad en Japón.

¿Qué significan las palabras del enunciado aclarador?

El enunciado aclarador de Access Consciousness es como una varita mágica. ¿Alguna vez has querido ser capaz de cambiar las cosas con tan solo pedir que cambien? Eso es lo que hace el enunciado aclarador.

~Gary Douglas

Acertado y equivocado, bueno y malo, POD y POC, todos los 9, cortos, chicos y más allás.

Acertado y equivocado, bueno y malo es la abreviatura de: ¿Qué es lo adecuado bueno, perfecto correcto de esto? ¿Qué es lo equivocado, incorrecto, cruel, brutal, terrible, malo, y horrible de esto? La versión corta de estas preguntas es: ¿Qué es lo acertado y equivocado, bueno y malo? Son las cosas que consideramos acertadas, buenas, perfectas y/o correctas las que más nos atoran porque no deseamos dejarlas ir, ya que decidimos que lo estamos haciendo bien.

POD son los puntos de destrucción, todas las formas en que te has estado destruyendo a ti mismo para mantener en existencia aquello que estás limpiando. POC son los puntos de creación de los pensamientos, sentimientos y emociones que precedieron inmediatamente tu decisión de atorar la energía en su lugar.

A veces la gente dice "hazle POD y POC" que es la abreviatura del enunciado más largo. Cuando "haces POD y POC" de algo es como quitar la carta inferior de un castillo de naipes. Todo cae.

Todos los 9 son las nueve formas distintas que has creado esto como una limitación en tu vida. Son las capas de pensamientos, sentimientos, emociones y puntos de vista que crean la limitación como sólida y real.

Cortos es la versión abreviada de una serie de preguntas mucho más larga que incluye: ¿Qué es lo significativo de esto? ¿Qué es lo insignificante de esto? ¿Cuál es el castigo por esto?

Chicos son las estructuras energéticas llamadas esferas nucleadas. Básicamente tienen que ver con aquellas áreas en tu vida donde has intentado lidiar con algo continuamente sin efecto alguno. Existen al menos trece diferentes tipos de esferas, que se llaman colectivamente "los chicos". Una esfera nucleada se ve como las burbujas creadas cuando soplas en una de esas pipas para burbujas de jabón que tiene cámaras múltiples. Crea una gran masa de burbujas y cuando explotas una burbuja, las otras burbujas llenan el espacio.

¿Has intentado pelar las capas de una cebolla cuando querías llegar al núcleo de un tema, pero nunca has podido lograrlo? Eso es porque no era una cebolla, era una esfera nucleada.

Más allás son sentimientos o sensaciones que tienes que detienen tu corazón, te dejan sin aliento o detienen tu disposición a ver las posibilidades. Más allás son aquello que ocurre cuando estás en shock. Tenemos un montón de áreas en nuestra vida donde nos congelamos. En cualquier momento en que te congeles, ese es un más allá que te mantiene cautivo. Esa es la dificultad con un más allá: te impide estar presente. Los más allás incluyen todo lo que es más allá de la creencia, de la realidad, de la imaginación, de la concepción, de la percepción, de la racionalización, de la disculpa, así como otros más allás. Normalmente son sentimientos y sensaciones, raramente emociones y nunca pensamientos.

¿Qué es Access Consciousness?

¿Y si estuvieras dispuesto a nutrirte y cuidarte?
¿Y si pudieras abrir las puertas a ser todo lo que has decidido que es imposible ser? ¿Qué tomaría para que te des cuenta de lo crucial que eres para las posibilidades del mundo?

~Gary Douglas

Access Consciousness es un conjunto simple de herramientas, técnicas y filosofías que te permiten crear un cambio dinámico en cada área de tu vida. Access te provee de bloques de construcción paso a paso para hacerte totalmente consciente y para comenzar a funcionar como el ser consciente que verdaderamente eres. Estas herramientas pueden ser usadas para cambiar cualquier cosa que no esté funcionando en tu vida para que puedas tener una vida diferente y una realidad distinta.

Puedes acceder a estas herramientas por medio de una variedad de clases, libros, telellamadas y otros productos o con un Facilitador Certificado de Access Consciousness o bien con un Facilitador de Barras de Access Consciousness.

La meta de Access es crear un mundo de consciencia y unicidad. La consciencia lo incluye todo y no juzga nada. La consciencia es la habilidad de estar presente en tu vida en cada momento sin juzgarte a ti mismo ni a nadie más. Es la habilidad de recibir todo, sin rechazar nada y creando todo lo que deseas en tu vida, más grandioso de lo que tienes actualmente y más de lo que puedes imaginar.

Para más información acerca de Access Consciousness, o para ubicar a un Facilitador de Access Consciousness, por favor visita:

www.accessconsciousness.com

Para descubrir más de Gary Douglas, del Dr. Dain Heer y de Anne Maxwell, por favor visita:

www.garymdouglas.com
www.drdainheer.com

www.annemaxwelllcsw.com

Acerca de los autores

Anne Maxwell, LCSW, RPT-S, es terapeuta infantil y familiar, y facilitadora de Access Consciousness®. Conocida como la "Dama del Juego" por muchos de los niños con los que trabaja, y como la "Encantadora de Niños" por algunos de sus colegas, tiene más de 25 años de experiencia trabajando con niños de todas las edades y orígenes, a los que se les ha dado todo tipo de diagnósticos, así como con adultos y familias. Anne ahora viaja por el mundo facilitando clases y ha desarrollado un enfoque único para el cambio para los niños y las familias. Enseña a los niños y a los padres a aprovechar y reconocer sus propias capacidades y conocimientos, y a reconocer que lo diferente es simplemente diferente; no está bien, no está mal. Y, ¡los resultados han sido mágicos, fenomenales, asombrosos! ¡La curación y el cambio son mucho más fáciles, más efectivos, más divertidos y más rápidos!

Gary Douglas ha sido pionero de una serie de herramientas y procesos transformadores conocidos como Access Consciousness desde hace más de 30 años. Estas herramientas, que están a la vanguardia creativa de la consciencia, han transformado las vidas de decenas de miles de personas en todo el mundo. Su trabajo se ha expandido a 170 países con mas 3000 facilitadores capacitados a nivel mundial. Estas herramientas simples y efectivas facilitan a las personas de todas las edades y orígenes a ayudar a eliminar las limitaciones que les impiden la libertad de vivir y crear la vida que realmente desean.

El Dr. Dain Heer es un orador internacional, autor y facilitador de talleres avanzados a nivel mundial. Invita e inspira a las personas a más consciencia desde la permisión total, cariño, humor y un saber fenomenal. Él es el cocreador de Access Consciousness. Tiene un enfoque completamente diferente de la sanación al enseñarle a las personas a percibir y reconocer sus propias habilidades y su saber.

CPSIA information can be obtained
at www.ICGtesting.com
Printed in the USA
LVHW031529060621
689488LV00008B/1486

9 781634 933797